50 **consejos** para calmar el **llanto** de tu bebé

José Manuel Sanz Mengíbar
Julia Molinuevo Santos
Elisa Ruano López

LIBSA

© 2009, Editorial LIBSA
San Rafael, 4
28108 Alcobendas. Madrid
Tel. (34) 91 657 25 80
Fax (34) 91 657 25 83
e-mail: libsa@libsa.es
www.libsa.es

ISBN: 978-84-662-1726-2

COLABORACIÓN EN TEXTOS: José Manuel Sanz Mengíbar
(coord.), Julia Molinuevo Santos y Elisa Ruano López
(pedagogas y directora y coordinadora del Centro de
Atención Temprana ASPRODICO, respectivamente)
EDICIÓN: equipo editorial LIBSA
DISEÑO DE CUBIERTA: equipo de diseño LIBSA
MAQUETACIÓN: Elena Parlange y equipo de
maquetación LIBSA
FOTOGRAFÍAS: archivo LIBSA

Queda prohibida, salvo excepción prevista en la ley,
cualquier forma de reproducción, distribución,
comunicación pública y transformación de esta obra sin
contar con la autorización de los titulares de la
propiedad intelectual. La infracción de los derechos
mencionados puede ser constitutiva de delito contra la
propiedad intelectual (art. 270 y ss. del Código Penal).
El Centro Español de Derechos Reprográficos vela por el
respeto de los citados derechos.

Contenido

Introducción

ES FRECUENTE en la cultura occidental asociar el llanto a connotaciones negativas. La sociedad actual nos hace creer que los niños sanos duermen durante toda la noche desde que nacen, pero la realidad es que hay únicamente una minoría de niños que cumplen esta regla. El llanto no es un reflejo de que se esté cuidando mal al bebé. Son muchos los adultos que se encuentran en esta situación difícil al no poder controlar el llanto de un bebé. Se considera normal que durante los dos o tres primeros meses, el niño llore entre una y tres horas diarias, teniendo incluso una importante función en su desarrollo. Algunos autores consideran el lloro del recién nacido como un mecanismo innato e involuntario más, como el estornudo o la tos, pero que habrá que reconducir como el resto de las funciones llevadas a cabo por la psique humana.

Este libro no pretende ser un manual estricto sobre el manejo del llanto del bebé, ni una técnica milagrosa válida para todas las situaciones y niños. El llanto no se puede calmar ni reconducir siempre con la misma receta, pero es una herramienta muy útil para quienes intentan buscar las causas más frecuentes de su origen y cómo actuar. Cada capítulo plantea una pregunta que queda resuelta en los cuadros titulados «¿Qué podemos hacer?» de una manera práctica.

CAUSAS MÁS FRECUENTES DEL LLANTO DEL BEBÉ

FÍSICAS	COGNITIVAS O AFECTIVAS
Hambre	Petición de ayuda
Frío o calor	Desahogo
Dolor	Queja
Pañal sucio	Soledad
Sueño	Aburrimiento
Enfermedad	Hiperestimulación, sobrecarga
Gases	Episodios traumáticos
Ruidos	Estrés, necesidad de liberar tensión
Incomodidad	Necesidad de atención y afecto

El llanto

¿Qué podemos hacer?

Debemos saber que el llanto es el medio de comunicación del bebé y se interpreta de diferente forma en cada cultura, antes de establecer un modo de actuación en situaciones difíciles para los educadores

01 ¿Qué es el llanto?

EL LLANTO del bebé es sin duda uno de los mecanismos naturales más apasionantes que existen. Tiene tanta fuerza que ha llenado de opiniones muchas páginas de libros y ha llevado a personas como tú a buscar una solución. ¿Te has puesto a pensar por qué el llanto de un niño nos provoca tanta irritación? Seguramente porque si no fuese capaz de llegarnos tan dentro, de molestarnos al extremo de no acostumbrarnos, no sería tan eficaz para la tarea que le ha sido confiada.

LA EVOLUCIÓN

El significado del llanto seguirá una evolución diferente según la edad del bebé, como se pretende desarrollar en este libro a través de las distintas dudas que pueden tener los responsables del cuidado del niño en cada periodo. En un primer momento se desencadenará de forma automática para comunicarnos cualquier estado de insatisfacción, incomodidad, inseguridad o dolor. Lo que comienza como un mecanismo innato, desorganizado y poco específico, poco a poco el bebé será capaz de controlarlo voluntariamente. Esto supone muchos aspectos positivos en su desarrollo porque primero aprende a calmarse con nuestra ayuda para posteriormente hacerlo por sí solo.

Estas decisiones conscientes hacen que el lloro sea cada vez menor y que se produzca en circunstancias concretas, pudiendo incluso utilizarlo para conseguir sus propósitos respecto a los adultos. Cuando el niño alcanza un grado de movilidad suficiente, es decir cuando es capaz de voltearse desde boca arriba a boca abajo y viceversa e incluso arrastrarse por el suelo, cognitivamente esto se refleja en la capacidad de elegir. Aproximadamente a los ocho meses el bebé decidirá y se mantendrá en la postura que él prefiere, ya sea boca abajo, boca arriba o de lado. Esto hasta el momento no era posible, porque éramos nosotros los que le colocábamos. Esta capacidad de elección se desarrollará en muchas otras facetas, como con las personas que quiere que le cojan en brazos y las que no. El llanto de esta etapa refleja la extrañeza que siene el niño hacia los adultos desconocidos y su preferencia por las personas de referencia con las que consigue quedarse gracias a este mecanismo de comunicación.

✓ Sabías que...

Muchas veces son nuestras propias emociones las que nos bloquean y nos impiden realizar cambios en los hábitos del bebé. Estos sencillos consejos pretenden ayudarnos a comprender mejor el llanto del niño y a modificar algunas de nuestras conductas que, sin darnos cuenta, pueden estar ayudando a su perpetuación.

El llanto del bebé es un mecanismo innato de defensa natural

El bebé observará y aprenderá cómo son de eficaces estas llamadas de atención, por lo que en un futuro no podemos permitir que se cronifiquen y se utilicen de forma interesada. La educación de los niños debe aportar otros mecanismos de negociación más maduros, acompañando su crecimiento y capacidad de muchos y constantes razonamientos.

La maduración cerebral es un proceso que comienza durante la gestación, continúa después del parto e influye sobre la capacidad motriz, cognitiva y socioafectiva del bebé. Como veremos más adelante, nuestra respuesta ante el llanto también debe seguir la evolución natural que marca el desarrollo del pequeño. En el recién nacido podremos contener el llanto con medidas intuitivas, de «distracción» y relación tonicoafectiva, estimulando el sistema límbico mielinizado

desde el nacimiento y a través del establecimiento del vínculo con el adulto (por ejemplo, el balanceo).

Un neonato recibe sensaciones del exterior pero no las puede analizar de forma diferenciada y responde a ellas de manera poco concreta. Será inútil, por tanto, intentar razonar con el bebé para que se calme, ya que no tendrá todavía el control consciente sobre esa función. Del mismo modo, serán inútiles nuestras respuestas de enfado o frustración y debemos mostrar al niño todo nuestro apoyo durante su malestar. La capacidad de razonamiento hay que entrenarla progresivamente, cuando el niño ya esté preparado para ello y su sistema nervioso central sea lo suficientemente maduro.

Lo que conocemos como maduración en realidad son diferentes procesos que tienen lugar en el sistema nervioso durante la gestación, pero también después del nacimiento. Entre ellos encontramos la diferenciación y especialización de las células neuronales que lo componen, según las funciones que vayan a desarrollar y la creación de múltiples conexiones entre ellas para establecer redes neuronales. Por último, la «mielinización» consiste en el recubrimiento de estas vías neuronales por otras células, que permiten mayor rapidez en su activación y en su estabilización en el tiempo si se utilizan con frecuencia.

✓ ¿Qué podemos hacer?

El trabajo más difícil es además el primero al que hay que enfrentarse: ¿Qué es y para que sirve el llanto? La respuesta se encuentra de forma implícita en este libro, pues es un mecanismo lo suficientemente potente como para despertar en alguien la necesidad de buscar soluciones. Eso es lo que el llanto pretende: hacernos buscar la causa por la que el bebé no está en armonía. Como bien se ha expresado, es el llanto el que pretende esta búsqueda en sí misma, y no el bebé.

- El llanto es un acto de supervivencia inconsciente y natural que nos acompaña desde el momento del nacimiento. Es capaz de desencadenar el impulso fraterno en los demás, asegurando la asistencia de quien se encuentra en dificultades o en una posición inferior. Sin embargo, más adelante puede ser un mecanismo que el niño utilice de forma voluntaria y consciente.

- Hay determinados lloros con los que no se puede dialogar o razonar porque únicamente se calman cuando desaparece la verdadera causa que los ha provocado. Será entonces cuando debamos aportar al bebé toda la ayuda necesaria para solucionar el problema, si está en nuestras manos, o todo nuestro apoyo para acompañarle cuando no podamos resolverlo. Por el contrario, y como desarrollaremos a lo largo del libro, sí observaremos determinados llantos en el niño que podremos reconducir porque su conducta está influyendo sobre ellos.

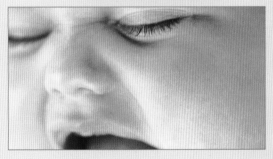

El llanto es un acto de supervivencia que el bebé será capaz de controlar con el paso del tiempo.

02 ¿Es diferente la interpretación del llanto en las distintas culturas del mundo?

DESDE EL inicio de su existencia, los niños se encuentran inmersos en la sociedad en la que han nacido. Conforme a ella se desarrollan y adquieren su aprendizaje influidos por los valores, normas, acciones, costumbres y creencias establecidos en su cultura. Del mismo modo, la visión que los adultos tienen del niño que acaba de nacer está influenciada y depende también de su contexto cultural. Por ello, y al margen de las diferencias individuales, los adultos de distintas culturas pueden tener una imagen del niño y unas expectativas muy diferentes sobre el cambio que va a suponer en su vida la incorporación de un nuevo miembro a la dinámica familiar y social. De ahí que la percepción del llanto del niño también se encuentre influida por esta visión y esta perspectiva, por lo que no siempre es la misma.

LAS CAUSAS

Todo lo que hemos aprendido sobre el significado del llanto en la crianza de los bebés en nuestras familias de origen tendemos a aplicarlo en los pequeños que están a nuestro cargo; también tratamos de incorporar nuevas informaciones que encontramos al alcance en nuestro contexto cultural. Por ejemplo, en las sociedades occidentales recibimos mucha información de cómo educar a los niños a través de profesionales de la sanidad, educación, enciclopedias, libros como el que tenemos entre nuestras manos, programas divulgativos y otras fuentes de conocimiento.

Es importante destacar que las sociedades postindustriales son muy complejas, pudiendo encontrar diferencias esenciales en familias que conviven en un mismo entorno, debido a que algunos de sus miembros pueden tener orígenes diversos.

✓ ¿Qué podemos hacer?

El llanto de un niño, dependiendo de la cultura en la que haya nacido, se interpreta con significados diferentes. Lo fundamental es tener en cuenta que aunque el llanto es común a todos los seres humanos, lo que varía es el valor que nosotros le demos, según la interpretación de las reglas que rigen nuestra sociedad. Como se puede ver, la diferente forma de asignar un significado al llanto de un niño depende fundamentalmente de la cultura en la que los padres se encuentran inmersos; se traducirá, por tanto, en una distinta actuación ante un mismo fenómeno.

■ Por ejemplo, en la sociedad japonesa se considera que los bebés han de descansar en un ambiente muy tranquilo y silencioso, de manera que cuando lloran se trata de calmarlos lo antes posible pero procurando no romper ese ambiente silencioso, utilizando principalmente el contacto físico y hablando en forma de susurro y sin estridencias.

■ En algunos países centroeuropeos existe la creencia de que a los niños hay que dejarlos llorar para que se hagan más independientes y para que con el llanto fortalezcan los órganos utilizados en el proceso de la fonación. De ahí que probablemente no acudan a su llamada inmediatamente o, si lo hacen, tarden poco tiempo en volver a dejarlos solos, antes incluso de haberlos calmado completamente.

Estos son únicamente unos ejemplos de las muchas situaciones que puedan ser distintas de una sociedad a otra.

Cada sociedad o cultura interpreta
y reacciona de manera diferente
ante el llanto del niño.

03 ¿Qué efectos físicos produce el lloro en un bebé?

EN ESTE capítulo se explican los mecanismos físicos, cognitivos y afectivos que tiene el llanto en el organismo. Gracias a su conocimiento podremos entender qué le está pasando al niño que llora delante de nosotros y, por tanto, comprender mejor su situación.

LAS CAUSAS

Podemos encontrar las causas por las que un niño llora en el plano físico o en el afectivo. El dolor, el frío y el hambre son motivos de origen físico, pero la soledad o el miedo son percepciones mentales más complejas, que desencadenan exactamente el mismo mecanismo. De la misma manera, y como veremos en el siguiente apartado, los efectos del llanto en el organismo se pueden diferenciar entre los puramente físicos y afectivos. Tanto las causas como los efectos del lloro relacionados con estos últimos son los más importantes y se desarrollarán desde diferentes puntos de vista en cada uno de los capítulos correspondientes.

LAS CONSECUENCIAS

Lo más llamativo son sin duda los sonidos. El recién nacido no tiene el mismo tipo de timbre en el lloro que un bebé de seis meses. Esto se debe tanto a la maduración del aparato específico de la fonación, como a la capacidad del aparato respiratorio. La laringe, las cuerdas vocales, la forma de la boca, la capacidad mímica y oral de la musculatura orofacial y los movimientos de la lengua sufren grandes modificaciones. Mediante el llanto, el niño explora las diferentes posibilidades de fonación que tiene en cada momento. Según se haga mayor, será capaz de modular la intensidad cuando no es escuchado, añadir gritos, agudizar el sonido e incluso llorar en silencio. Esta capacidad de control voluntario sobre el sonido del llanto también se refleja en la evolución de otros aspectos, como la alimentación, en la que se ve implicada la misma musculatura y capacidad articulatoria.

En referencia a la capacidad respiratoria, la acción de llorar implica una serie de cambios. Después del nacimiento, el pulmón lleno de líquido pasa a ser un órgano expandido por el aire que el bebé respira de forma automática. Su interior no está todavía maduro para esta nueva situación, sobre todo si hablamos de bebés prematuros. Incluso el ritmo constante que marcan los niveles de concentración de oxígeno y dióxido de carbono en sangre se verá alterado cuando el niño llora. El ritmo será entrecortado y la frecuencia respiratoria, aumentada, para poder hacer frente al aumento de la demanda de oxígeno por parte del organismo ante el esfuerzo que el llanto supone. En condiciones normales, la inspiración o toma de oxígeno es un acto que requiere un mínimo gasto energético y la espiración o expulsión del oxígeno es una acción prácticamente pasiva del retorno elástico de los tejidos pulmonares a su estado de reposo.

Ante el lloro, los músculos accesorios inspiratorios y espiratorios son demandados de forma importante, por lo que aumenta el gasto energético para adaptarse al esfuerzo. Por tanto, de alguna forma el lloro supone un ejercicio natural e innato para fortalecer la musculatura de la que depende nuestra capacidad respiratoria. Además, esta musculatura, sobre todo la localizada en la región abdominal, facilita la expulsión de las mucosidades pulmonares y disminuyen las infecciones que en ellas se desarrollan con más facilidad.

Otro de los cambios inmediatos que observamos cuando el recién nacido llora es la repentina y excesiva coloración de la piel. El bebé «se pone rojo», especialmente en la cara, debido a la variación del flujo sanguíneo. Se producirá la apertura de capilares sanguíneos en zonas periféricas y para satisfacer esta mayor demanda de volumen de sangre, el corazón latirá más deprisa que antes.

Percibir este aumento de la frecuencia cardiaca es habitual cuando lo tomamos en nuestros brazos para cal-

✓ Sabías que...

Algunas hormonas que provienen de los meses en los que el feto se encontraba en el útero de la madre siguen todavía en el torrente sanguíneo del neonato durante los primeros días de vida. Su influencia sobre el aparato que modula la fonación y la laringe en general afecta al llanto del recién nacido, que se caracteriza por su sorprendente agudeza e intensidad.

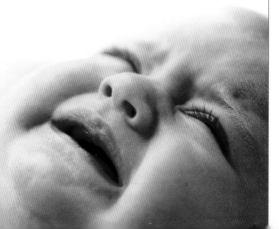

marle. Este es el mismo mecanismo que prepara el organismo para cualquier actividad intensa.

En la piel observaremos otros signos del sistema vegetativo, el cual forma parte del sistema nervioso encargado de gestionar de manera involuntaria algunas de las funciones del organismo. Durante el llanto, además de los cambios cardiorrespiratorios mencionados, podremos también observar un aumento de la sudoración en el cuerpo del bebé.

El lloro está provocado por una irritación del sistema nervioso central originada por muy diversas causas que son capaces de descompensar el frágil equilibrio del neonato. Por el contrario, después del llanto el sistema nervioso tiende a la relajación y a la sedación, entre otras cosas por el esfuerzo que ha supuesto para todo el organismo. Por eso muchas veces se dice que el lloro sirve para «descargar la tensión acumulada».

Durante el llanto por un episodio traumático se liberan sustancias como el cortisol y la adrenalina, que en el cerebro estimulan la región del hipocampo y la amígdala. Por tanto, el sistema hormonal tiene también un papel importante durante el llanto porque regula estos flujos de hormonas de forma positiva cuando un bebé es calmado por un adulto o cuando, por el contrario, no sucede así. Estas sustancias químicas liberadas por el organismo actúan en el sistema nervioso central, pero también en otros órganos y vísceras del mismo para regular la alternancia entre las diferentes situaciones de estrés y relajación.

✓¿Qué podemos hacer?

En la esencia por conocer los cambios físicos en el bebé que llora y por qué éstos se producen reside la tranquilidad que ello nos aporta. En determinadas formas de pensamiento, estos efectos justifican incluso la actitud del adulto frente al lloro de una forma más distante. Es decir, el lloro es interpretado por algunas culturas como una primera prueba de adaptación natural al esfuerzo del organismo humano.

■ Se recomienda a quien cuida del bebé que no acuda de forma precipitada a atenderle ante cualquier leve irritación, considerando que un breve episodio de llanto ayuda también a la formación, desarrollo y adaptación de los diferentes órganos implicados en el mismo.

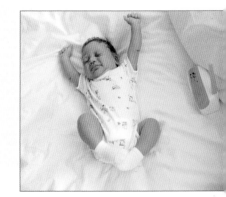

04 ¿Qué efectos perjudiciales puede tener el llanto que no se consuela?

LA MENTE y el cuerpo están fuertemente vinculados. Las emociones pueden tener efectos tanto positivos como negativos sobre nuestro organismo, dependiendo de sus características. «Morir de amor» es un ejemplo sencillo de un efecto físico devastador provocado por las consecuencias emocionales ante la pérdida de un ser querido.

LAS CAUSAS

El llanto excesivo puede interpretarse como un signo de irritabilidad del sistema nervioso central. En los bebés prematuros, el llanto prolongado puede deberse a su situación de inmadurez, que poco a poco irá desapareciendo; pero en el caso de sobrepasar los límites de la normalidad, será importante la valoración por parte de un especialista. Se pueden objetivar causas orgánicas o no, dependiendo de la alteración que sufra el bebé. En ambas situaciones, si no existe tratamiento farmacológico, el profesional podrá orientarnos más específicamente sobre cómo comportarnos y reducir el riesgo de algunas consecuencias en nuestro caso concreto.

LAS CONSECUENCIAS

Hay que tener en cuenta que el niño presenta diferentes necesidades; cuando es un bebé, su principal forma de manifestarlas es a través del llanto. Estas necesidades son:

* Necesidades físicobiológicas, que hacen referencia a la alimentación, la higiene, el sueño, el vestido o las condiciones sanitarias.
* Necesidades de tipo cognitivo, que incluyen las necesidades de interactuar con el entorno físico y social, explorar el medio y recibir una estimulación adecuada a su desarrollo.
* Necesidades emocionales y sociales, que se relacionan con la seguridad emocional que precisa el bebé a través de sus figuras de apego.

Partiendo de este planteamiento, el buen trato en la infancia consiste en la satisfacción de estas necesidades; la forma puede variar según las diferentes culturas, pero lo importante es que el buen trato esté siempre garantizado desde los distintos contextos que intervienen en el desarrollo del niño. Las carencias y disfunciones a la hora de satisfacer estas necesidades van a interferir en el desarrollo tanto físico, como cognitivo, afectivo y social.

Si sus necesidades no son consideradas como objeto de atención de forma constante, puede tener consecuencias sobre la autoestima y la confianza del niño en sí mismo y en los demás. De la misma manera, pueden verse también alteradas las percepciones de seguridad, riesgo y miedo. Surgirán sentimientos como la culpabilidad, y se mermará la capacidad de empatizar y socializar con otras personas.

Si el niño es ignorado cuando llora sistemáticamente de una forma prolongada en el tiempo, aprende que no puede contar con nadie, que su necesidad no va ser atendida, incluyendo la necesidad básica de tipo afectivo de contacto físico, llegando a callarse por resignación y no como fruto del aprendizaje asociado a experiencias acordes a su desarrollo evolutivo.

✓ Sabías que...

Las últimas investigaciones científicas han descubierto que algunas regiones del cerebro responsables de la gestión de las emociones o la memoria pueden llegar a alterar el equilibrio del corazón.

El estrés que provoca el lloro prolongado desajusta en el cerebro el equilibrio que mantienen las estructuras encargadas de regular las emociones, pudiendo predisponer a algunas disfunciones emocionales futuras si el bebé no recibe suficiente atención ni cuidados de forma repetitiva y constante. Dicho estrés le efectará no solo en el presente, sino también lo hará en el futuro, por lo que hay que prestarle los cuidados precisos.

✓¿Qué podemos hacer?

Será un objetivo primordial intentar disminuir su estado de confusión emocional, sin sentirnos culpables en ningún caso si hacemos todo lo que está en nuestras manos. El niño no llora para manipularnos (como se dice popularmente), sino que es su forma de comunicarse con nosotros. Es a través de la observación de su comportamiento como los adultos con niños a su cargo vamos conociendo las diferentes maneras que tiene el bebé de mostrarnos sus necesidades y demandas. Así, a medida que el niño va creciendo, podemos ir reconociendo cuándo su llanto está asociado a estas necesidades básicas y cuándo tiene más que ver con rabietas y llamadas de atención, como se explica en capítulos posteriores.

1 Si el bebé llora para buscar ayuda y se le atiende, el bebé se calmará porque ha cesado su incomodidad. Este hecho a su vez reforzará la autoestima y la seguridad del adulto al comprobar que se disminuye su malestar. Asimismo se favorecerá así el vínculo entre el adulto y el niño porque ambos empiezan a relacionarse en la rutina de su convivencia.

2 Por el contrario, si su malestar no es tan sencillo de calmar, entonces percibirá todo nuestro apoyo y sentirá que estamos junto a él también durante los momentos difíciles. El llanto es una manera de liberar la tensión y los miedos acumulados, pero nunca debemos dejar llorando al bebé solo. Siempre es preferible que le cojamos en brazos para demostrarle que estamos a su lado a que tenga cierta sensación de «abandono». Debemos acompañarle durante el llanto porque así ayudamos al niño a entender que puede contar con nosotros y a que poco a

Cuando es atendido, el bebé se muestra tranquilo. Conociendo sus necesidades y preferencias, conseguimos mejores resultados.

poco sea capaz de ir aumentando el tiempo de espera ante sus demandas, ya que no siempre va a ser posible dar una respuesta inmediata a sus necesidades.

05 ¿Es el llanto una forma de comunicación?

CUANDO LLEGA al mundo, el ser humano está indefenso y desprotegido. Requiere para su desarrollo un ambiente que posea unas características básicas comunes que: le procure cuidados de protección, le satisfaga las necesidades elementales y le incluya en un espacio de relación e intercambio social. Una vez que se garantizan estas características comunes, el desarrollo del niño podrá adaptarse a las particularidades propias de la familia en la que se encuentre.

LAS CAUSAS

En cada persona incluso las conductas que catalogaríamos como innatas están influidas por el ambiente en el que se desarrollan. Por eso es tan importante crear un ambiente protector y adecuado a su desarrollo, en el que no pueden faltar interacciones comunicativas con sus familiares y otras personas. El contexto de crianza de un niño se puede planear y crear conforme a nuestros deseos, para que el pequeño se desarrolle de una manera armónica.

LAS CONSECUENCIAS

Una vez que ha nacido, mucho antes de poder hablar, escucha las voces de quienes le rodean, siente las caricias y el contacto físico, distingue variaciones en la luminosidad y en las formas que se le presentan. No hace falta esperar a que el niño comience a hablar para que podamos comunicarnos con él. El bebé posee recursos propios para comunicarse y relacionarse con los adultos.

Las primeras veces que aparecen en el bebé ciertas expresiones faciales, como pueden ser la sonrisa y el llanto, se trata de pautas de acción innatas que se desencadenan por un estímulo determinado. Este estímulo depende del contexto y la situación en la que se encuentre el niño. El llanto se convertirá en una de sus primeras formas de comunicación, que surgirá en distintas situaciones. Aunque el llanto lo podamos interpretar como una demanda de ayuda, cuando el bebé llora, no siempre lo hace con una finalidad comunicativa, puede llorar como expresión de una situación de malestar, incomodidad o ruptura del equilibrio; en estos casos se trataría de una descarga emocional. Por ello, en algunas ocasiones no vamos a poder interpretar el motivo de su llanto.

En toda comunicación podemos distinguir dos niveles: un primer nivel aparentemente más explícito referido al contenido del mensaje que se quiere transmitir, es decir, su significado; y un segundo nivel de relación, que responde al cómo, qué y a quién se transmite el mensaje. Es en este segundo nivel donde lo importante es el tono de voz, los gestos faciales, mímicos y corporales, así como la sensación que se transmite (tensión, calma, afecto, comprensión, irritabilidad, enfado, desánimo).

A medida que los elementos básicos de la comunicación se incrementan y se desarrollan, se establecen y comparten unas normas fijadas y aceptadas por los interlocutores. Por ejemplo, cuando un adulto se dirige a un niño que llora y le pregunta «¿qué te pasa?», no lo hará igual si el pequeño acaba de iniciar el llanto que si éste es tan prolongado que la situación le desborda. Si el niño llora y esta situación nos impacienta y nos pone muy nerviosos, entonces percibirá dicha tensión, la

✓ Sabías que...

Ya antes del nacimiento el niño se mueve y reacciona ante los estímulos táctiles que recibe del exterior, como caricias en el vientre de la madre, el tono de la voz, la música que escucha, los olores, el sabor de las partículas de comida, la luz que traspasa los tejidos… Aunque todos estos estímulos llegan al niño de una forma muy atenuada y diferente a como lo hacemos nosotros, sí es capaz de percibirlos. A partir de cierto momento, en ocasiones el niño responde ante ellos.

cual le causará intranquilidad; esta circunstancia provocará que resulte más difícil calmar su llanto. Sin embargo, cuando le transmitimos una sensación de calma y comprensión, el niño será capaz de tranquilizarse más rápidamente.

✓¿Qué podemos hacer?

La disposición que tenemos para calmar al niño varía según el estado de ánimo de ambos. Aparecen más dificultades para contenerlo cuando nos encontramos cansados o irritados, lo que puede influir y condicionar negativamente la comunicación con el pequeño.

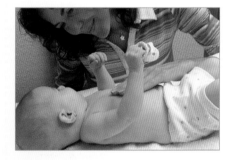

- Es muy importante que sepamos que el niño, aunque no comprenda exactamente lo que le estamos diciendo, capta perfectamente el tono y la esencia de lo que le pretendemos comunicar. Por ello no debemos dudar en explicarle por qué hacemos unas cosas y por qué en otros momentos no le permitimos hacer otras. Las primeras veces que lo hagamos nos resultará bastante extraño darle explicaciones a un bebé, pero enseguida nos acostumbraremos a hacerlo así de una manera constante y sin pensarlo.

- Como conclusión a lo explicado, debemos tener presente que, mucho antes de que el niño adquiera sus primeras palabras, ya se está comunicando con nosotros mediante diversas formas, y una de las principales es el llanto. Es importante que tengamos presente que nosotros también nos comunicamos con él en cada momento y que aunque no entienda el significado de las palabras que empleamos, sí capta el tono de voz, nuestros gestos, nuestros abrazos y nuestras caricias.

06 ¿El llanto es el único medio que tiene el bebé para comunicarse?

EN SU INDEFENSIÓN ante el mundo el niño necesita el afecto, la ayuda y la confianza de sus principales figuras de referencia para desarrollarse armoniosamente. Responde a nuestros intentos de comunicación (realiza seguimientos visuales, manifiesta preferencia por la presencia del rostro humano antes que por los objetos, se orienta ante los sonidos, le gusta la voz humana, reacciona ante el tacto cálido y acogedor de las personas, etc.) y desde el primer momento él también tiene iniciativas propias para comunicarse; ahora bien, todo ello siempre se establece en un contexto de características determinadas.

LAS CAUSAS

Los sentidos nos aportan información sobre uno mismo y sobre el mundo exterior. Proporcionan sensaciones múltiples y variadas, convirtiéndose en un canal de comunicación. A través de ellos, el niño comienza a conocer que existe un mundo externo y un mundo interno que intentará explorar.

LAS CONSECUENCIAS

El sentido de la vista nos proporciona la posibilidad de comunicarnos y de establecer contacto visual con el niño; es un canal importantísimo de relación afectiva, ya que una mirada es capaz de transmitir estados emocionales, como por ejemplo confianza, seguridad, afecto, interés por el otro o respeto, pero también miedo e inseguridad. El contacto visual forma parte de la comunicación no verbal imprescindible para entender y descifrar los mensajes que se producen en toda interacción.

Durante los primeros momentos de su vida, aunque la visión del niño es inmadura, ya puede realizar seguimientos visuales desplazando los ojos en una dirección y fijando la mirada en un punto concreto. Especialmente interesante le parece la cara de otras personas. Por ello es muy importante durante su desarrollo, que el niño reciba estímulos visuales, especialmente los rostros, los gestos y las miradas de las personas que le rodean.

✓ Sabías que...

Al igual que sucede con los adultos, los sentidos del gusto y del olfato le proporcionan al bebé mucha información del mundo exterior y van a inducir una respuesta en él. Por ejemplo, los olores de su cuna, sus juguetes, el baño, su ropa, la casa... son tan familiares para él que le tranquilizan y le van a ayudar a reconocer el lugar en el que se encuentra y qué actividad se está realizando en cada momento. Se trata de los actos rutinarios del día a día, es decir, de cosas fundamentales para ayudarle a organizar su mundo. Gracias a los sentidos del olfato y el gusto, su cerebro irá identificando y reconociendo todas estas situaciones para que se vaya acostumbrando a ellas y ya no le sorprendan como al principio.

El sentido del tacto también influye en la comunicación; la piel protege y envuelve al niño, y está llena de receptores que generan diversas sensaciones táctiles. El niño percibe por este sentido el contacto, la presión, el paso de calor al frío y, con el transcurso de su desarrollo, descubre para las diversas cualidades de los objetos, su textura, su forma y su dureza.

Una forma de comunicarnos con el niño es a través del contacto corporal porque gracias al tacto se establece un diálogo corporal. Como canal de comunicación sensorial, el tacto facilita y refuerza el vínculo de apego; es más, es uno de los medios más privilegiados para la transmisión de nuestro afecto. Con los besos, abrazos o caricias el niño se sentirá protegido, querido y seguro. Los juegos de balanceos, las cosquillas y los masajes son muy placenteros, tanto para el bebé como para la persona que le está cuidando.

Al expresarle nuestro afecto mediante este sentido, estamos aportando al niño sensaciones agradables para su propio cuerpo, que van a favorecer un sentimiento corporal positivo. También es importante interpretar y comprender las respuestas del pequeño, para adecuarnos a sus necesidades. Por ejemplo, podemos hablar con el niño cuando muestra físicamente desagrado o resistencia que pueden ser debidos a factores como cansancio, malestar o sueño. En este sentido, debemos estar alerta a sus gestos porque a través de ellos el bebé nos está comunicando lo que le sucede, aunque sea de forma inconsciente y en muchas ocasiones inconexa.

Otro sentido fundamental en la comunicación con el niño es el oído, a través del cual se perciben los sonidos del exterior. El sonido más especial que reconoce un niño es la voz de las personas que le cuidan; además, en las palabras que pronunciamos, el niño es capaz de diferenciar el tono, el volumen y la entonación que utilizamos al comunicarnos con él. Por eso al hablarle en un tono algo suave y tranquilo, facilitamos el intercambio comunicativo entre ambos. Por el contrario, si empleamos un tono agresivo o brusco, sólo lograremos que el bebé llore.

Para favorecer y estimular el lenguaje y la comunicación apropiados a la edad del niño es importante establecer una relación bidireccional donde exista un intercambio: uno habla y el otro responde. Otras formas de favorecer la comunicación auditiva son las canciones infantiles, los cuentos y la música que, además de que permiten pasar momentos muy agradables, también le aportan una rica fuente de estimulación a nivel verbal y cognitivo.

✓ ¿Qué podemos hacer?

El consejo más sencillo es procurar momentos de intercambio comunicativo con el bebé. Es muy recomendable ofrecerle diversos estímulos sensoriales para favorecer su percepción y proporcionarle la mayor parte de situaciones posibles que le generen múltiples experiencias. Gracias a este intercambio, irá identificando poco a poco

sus propias sensaciones. Del mismo modo, es importante responder a todas sus acciones y valorar sus nuevos descubrimientos.

■ El niño debe sentirse seguro y los adultos no debemos olvidar que está experimentando cada una de las sensaciones por primera vez en su vida.

07 ¿El llanto es siempre igual o existen diferentes tipos?

TANTO EN un bebé como en un niño pequeño, el llanto puede manifestarse de forma diversa según la situación, el contexto en que se produzca y la causa que lo motive, de ahí que sea muy importante que nos fijemos en qué momentos y qué causas han podido provocar el llanto en el niño, para poder dar una interpretación correcta y actuar conforme a ella de una manera adecuada.

Como ya se ha explicado en páginas anteriores, una de las formas en las que el niño se comunica con nosotros es mediante el llanto, por ello resulta de utilidad conocer los distintos modos en los que se produce esa modalidad comunicativa. De forma habitual utilizamos diferentes expresiones para referirnos a las diversas maneras que tiene el llanto de manifestarse; entre ellas podemos destacar las siguientes, por ser las más usadas por los niños:

- LLANTO. El niño gime y lagrimea constantemente, puede tener diferentes intensidades, duraciones y modos (más o menos entrecortado, agudo...).
- SOLLOZO. El niño respira entrecortadamente y con inspiraciones profundas.
- RABIETA. Es la expresión descontrolada de la cólera del niño ante una situación molesta, una necesidad no satisfecha o una petición no complacida. Es el signo que nos indica que una circunstancia le desborda y tenemos que procurar no desbordarnos nosotros, puesto que somos adultos y tenemos un mayor autocontrol.
- GIMOTEO. Es cuando se imitan los sonidos y gestos del llanto, pero sin llorar.
- HACER PUCHEROS. Son los gestos que indican que el niño está a punto de comenzar a llorar, ya sean de forma natural o simulada.
- LLANTINA. Es el lloro continuado y de diversa intensidad.
- LLORIQUEO. Llorar sin apenas fuerza alguna.

En caso de que nos impacientemos, lo único que lograremos será transmitir toda nuestra angustia al niño y éste tendrá un motivo añadido para seguir llorando. Aunque nos pueda parecer que el llanto del bebé es interminable, al final el niño se calmará y dejará de llorar; ése será el momento propicio para demostrarle nuestro cariño y comprensión. Tampoco debemos olvidar que estas situaciones le agotan mucho y nuestro afecto y atención siempre le reconfortarán.

Si el llanto es persistente y bastante intenso, es posible que el niño esté experimentando algún dolor; en este caso, su malestar físico será el causante de las lágrimas. Si estos episodios de llanto prolongado en el tiempo y de gran intensidad se repiten con mucha frecuencia, convendría que consultásemos con un especialista en pediatría porque podrían ser el aviso del algún otro mal y, cuanto antes tengamos un diagnóstico, antes podremos empezar con las indicaciones o el tratamiento que nos diga el médico.

Resumiendo, es importante que centremos nuestra atención en las manifestaciones comunicativas del niño mostrándonos serenos y tranquilos, y sabiendo que podemos ayudarle creando un espacio de afectividad y seguridad en el que atenderle, intentando entender y comprender el porqué de la situación. Sin embargo, también es posible que en algún momento nos encontremos con situaciones en las que no podamos entender por qué ocurre. Al final del libro se proponen unos consejos para que los padres y cuidadores se liberen del estrés y la tensión acumulados por dichos momentos de llanto desesperado que sufren todos los bebés con mayor o menor intensidad.

✓ Sabías que...

Si nosotros podemos solventar esta difícil situación mostrándonos tranquilos y no nos agobiamos, aunque el pequeño llore durante un largo periodo de tiempo, él no percibirá nuestra inquietud y poco a poco podrá calmarse. Por el contrario, si nos angustiamos en exceso podemos transmitirle también excesivos nervios y mucha agitación.

✓¿Qué podemos hacer?

Todas y cada una de estas modalidades de llanto requieren una interpretación por nuestra parte. El significado de cada llanto depende de varios factores y del análisis del contexto en que se manifiesta.

Por eso es importante que siempre que el niño llore nos fijemos, mientras le atendemos, en cómo lo hace, si va acompañado de movimientos de los miembros superiores e inferiores, si es un llanto fuerte o, por el contrario, si es de baja intensidad o si va acompañado de otras expresiones faciales. También tenemos que recordar los momentos que preceden al llanto y en qué situación se produce, es decir, si lleva algún tiempo sin comer o si se toca alguna parte de la cabeza de forma insistente.

1 Es importante que observemos cómo responde ante nuestras acciones, si se calma fácilmente nada más hacerle caso y al satisfacer sus necesidades (darle de comer, arroparle, cambiarle…). Todo esto es importante que se realice en un ambiente de calma y tranquilidad que proporcionará al niño protección y seguridad.

2 En ocasiones podemos sentirnos desbordados ante este tipo de situación, especialmente cuando el bebé llora de manera intensa durante mucho tiempo y, sobre todo, cuando parece no reaccionar ante nuestros múltiples intentos de consolarle y los esfuerzos que ponemos en solucionar sus necesidades. Aunque en muchas circunstancias mantener la calma ante el llanto más desesperado de un bebé resulta difícil, debemos respirar profundamente y liberar nuestra propia tensión porque de esta forma no se la transmitiremos al niño. La calma y la serenidad en los padres generan lo mismo en los niños.

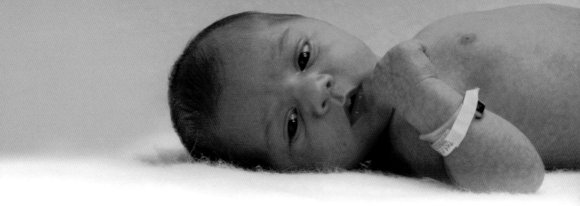

08 ¿Podemos reconocer la causa por la que el bebé llora en cada momento?

EL NIÑO es capaz de interaccionar con el mundo que le rodea y descubrir que puede modificar dicho contexto. Durante los primeros años de vida, el llanto, junto con la risa y otras expresiones faciales, se convierte en su manera de relacionarse con las personas más cercanas. En concreto, el llanto es la única forma que conoce de expresar sus deseos y demandas.

LAS CAUSAS

En capítulos anteriores se ha tratado la existencia de diferentes causas posibles para poder explicar el llanto del niño. Según el momento del desarrollo evolutivo en que se encuentre, podemos interpretarlo con un significado u otro y también puede expresar necesidades diversas. Este potente canal de comunicación no lo utiliza del mismo modo un bebé que está aprendiendo a vivir en un medio diferente al que estaba acostumbrado durante los nueve primeros meses, que un niño que ya tenga capacidad para caminar y explorar el mundo, y que ha aprendido el efecto que causa el llanto en los adultos que le cuidan.

Antes de nacer el bebé vivía en un medio en el cual todas sus necesidades estaban satisfechas y se desarrollaba en completa armonía y felicidad. Después del nacimiento, habita en un medio nuevo y desconocido para él que tiene que aprender a entender e interpretar. En estos primeros momentos todo es nuevo para él, desde la necesidad de respirar y comer hasta el simple hecho de relacionarse directamente con quienes le rodean.

Por ello, durante sus primeros días y semanas, aproximadamente los dos primeros meses de vida fuera del seno materno, puede que llore desconsoladamente cada vez que sienta una necesidad que es nueva y a la que todavía no se ha acostumbrado. Las sensaciones son muy intensas si las comparamos con la serenidad y la paz que sentía antes de nacer. Por ese motivo, el lloro y las lágrimas son muy intensos.

En estos momentos las causas del llanto son básicamente las relacionadas con las necesidades primarias de:

- ALIMENTACIÓN. El bebé llorará cuando sienta vacío su estómago, pues esa sensación le resulta molesta: su estómago es muy pequeño y por ello se sacia con relativa rapidez, necesitando comer muchas veces a lo largo del día. Se puede identificar el llanto por necesidad de alimentación cuando, antes de comenzar a llorar, parece que busca con la boca alimento, intenta acercar las manos a la boca para chupárselas o succiona con fuerza el chupete. Es conveniente que no se prolongue en exceso la espera por parte del bebé que tiene hambre porque puede resultarle difícil comenzar la ingesta de alimento por haber acumulado excesiva tensión con respecto al hambre no saciada. La alimentación es un momento privilegiado para establecer una relación placentera con él.

- SUEÑO. Debido a que el nuevo medio en el que se encuentra el bebé es tan exigente para él, se cansa con mucha facilidad y todos sus movimientos e interacciones con las personas le suponen un gran esfuerzo, aunque son imprescindibles para su desarrollo armónico y además le reconfortan. Por ello, duerme durante gran parte del día y de la noche, incluso mientras realiza otras acciones. El sueño es reparador y fundamental para su desarrollo físico y cognitivo; incluso en ocasiones llorará cuando se sienta cansado, mostrándose irritable en los momentos previos al sueño.

- HIGIENE. El bebé de pocas semanas puede llorar cuando su piel se humedece por la orina y las heces, que es una situación que le molesta, aunque realmente no tenga la piel irritada. En ocasiones el experimentar movimientos en su estómago le puede incomodar. Otra sensación que le puede desagradar es sentirse indefenso al encontrarse desnudo. Algunas ropas pueden resultarle molestas si le impiden la movilidad, le aprietan o le rozan en algún lugar de su cuerpo. También acusan mucho los cambios de temperatura. Podemos reconocer este tipo de llanto por el momento en el que se produce, si aparece en alguna de las situaciones descritas.

- DESCARGA DE TENSIÓN. A veces el niño acumula tensión emocional y se encuentra incómodo y agobiado; en este momento de su vida prácticamente todas las situaciones son novedosas para él, por lo que adaptarse a ellas le supone un gran esfuerzo (no todas le resultan igual de satisfactorias). Todo ello le provoca un llanto desconsolado que, una vez finalizado, le habrá servido para liberar esas tensiones. Se puede reconocer este tipo de llanto porque en los momentos previos el pequeño se mueve mucho y parece excitado. Suele dormirse tras el llanto. Cuando despierte, será un buen momento para abrazarle y demostrarle lo mucho que le queremos.

- SENTIMIENTOS DE SOLEDAD. El niño en ocasiones puede sentirse solo y necesita saber que tiene cerca a sus seres más queridos. Tal vez en esta situación simplemente se calme al escuchar nuestra voz que, como si de una melodía mágica se tratara, le produce un beneficio afectivo tan grande que se calmará rápidamente.

- SUSTO, MIEDO O SORPRESA. Ante situaciones nuevas y desconocidas, el niño no sabe cómo interpretarlas, de manera que nosotros seremos el modelo que él deseará seguir; si nos mostramos tranquilos, interpretará que no hay razón para estar preocupado ante esas situaciones, aunque no le agraden totalmente. El llanto finalizará cuando se habitúe a la nueva circunstancia o se aleje de ella.

- CANSANCIO. Normalmente en los momentos anteriores al llanto el niño se muestra bastante irritable, parece que nada consigue satisfacerle y que todo le molesta. Al final termina durmiéndose, debido al agotamiento que le ha producido la situación de tensión experimentada. Las horas de sueño le servirán para recuperarse del cansancio acumulado.

El bebé también puede llorar cuando siente algún dolor. Describiremos a continuación algunas posibles situaciones:

- GASES ACUMULADOS. La alimentación oral supone que en ocasiones los bebés traguen gran cantidad de aire durante la toma y se acumule en el estómago; podemos ayudar a expulsarlo masajeándole en la espalda o con determinadas posturas, como veremos más adelante. Este llanto aparecerá normalmente poco después de las tomas de alimento, aunque ocasionalmente puede aparecer una o dos horas después.

- CÓLICO DEL LACTANTE. Algunos bebés presentan episodios de llanto muy intenso, agudo y continuo, al menos durante tres horas al día y más de tres horas a la semana; en este caso se trata de un llanto difícil de calmar.

- IRRITACIONES CUTÁNEAS. La piel del bebé es sensible e irritable. En ocasiones el contacto con el pañal húmedo puede provocarle escozor de la zona afectada, incluso cuando se cambia al niño con frecuencia. Con el paso del tiempo, los niños se van adaptando a los distintos estímulos del mundo que les rodea, su organismo va madurando y regulando sus funciones. Por esa razón algunas causas de llanto de los primeros meses van siendo cada vez menos frecuentes.

✓¿Qué podemos hacer?

Es importante que sepamos de antemano que en muchas ocasiones no vamos a lograr conocer con exactitud cuál es la causa que ha motivado una sesión intensa de llanto. Aunque no siempre lo podamos interpretar, sí podemos intentar aproximarnos a ella y, en cualquier caso, intentar calmarle y contenerle, ya que es un momento en el que siempre necesita nuestra atención. Es importante que cuando creamos encontrarnos ante un llanto provocado por algún tipo de dolor, se consulte cuanto antes al pediatra.

09 ¿Cómo reconocer una situación de inquietud previa al llanto?

COMO HEMOS comentado, nos puede resultar muy útil reconocer si un recién nacido está inquieto (estado de alerta activa) o se encuentra en una evidente situación de llanto.

√ Sabías que...

Un ejemplo para aprender se produce cuando estamos en otra habitación y oímos que el niño se empieza a inquietar. La experiencia nos dirá que si el niño está en una situación de alerta, con necesidad de intervención externa, él mismo consigue calmarse y puede pasar a una situación de alerta quieta y quedarse tranquilo, mientras observa el muñequito que está en su cuna o se chupa el dedo. También tenemos que dar la oportunidad al niño de que proteste, además de la posibilidad de que se tranquilice él solo.

LAS CAUSAS

En las primeras semanas es muy común salir corriendo hacia la cuna del niño al más mínimo ruido o leve quejido que pueda enviarnos, o incluso estar permanentemente cerca de él, de tal manera que prácticamente antes de iniciar ni siquiera el intento de protesta, seguramente el niño ya está siendo calmado por el adulto que en ese momento está a su alrededor.

Es normal al principio tener miedo porque todo es nuevo, pero también es verdad que poco a poco el bebé nos irá enviando señales más claras de lo que necesita e iremos comprendiendo mejor qué es lo que nos está demandando en cada momento. Para poder ayudarnos en los primeros momentos, es posible echar mano de la observación de los estados de conciencia. Si nos dedicamos a observar al niño unos minutos cada día cuando duerme, cuando se empieza a despertar, cuando está atento a nuestras palabras y expresiones de nuestra cara, cuando se pone inquieto, cuando se siente molesto y cuando empieza a llorar, podemos llegar a conocer con bastante precisión cuál es su estado de conciencia en cada momento y, lo que es más importante, cómo va cambiando y modulando su comportamiento, y va pasando de un estado a otro, según sus necesidades y cada situación.

LAS CONSECUENCIAS

Debido a su inmadurez, el bebé necesita que las respuestas a sus demandas sean inmediatas. Poco a poco y a medida que adquiere nuevas habilidades, va a ir aprendiendo a esperar y a utilizar sus propias estrategias para distraerse, calmarse y relajarse sin la necesidad de la presencia de un adulto. Una de las formas más claras que tiene de transmitirnos esto es a través del llanto, que puede conducirle a un estado en el que no realice peticiones ni demandas, debido a que ha aprendido que nunca son tenidas en cuenta. Un niño resignado que no protesta ni realiza peticiones no es lo mismo que un niño que aprende a esperar una respuesta que ya sabe por experiencias anteriores que se va a producir.

✓¿Qué podemos hacer?

Debemos tener en cuenta que un estado de inquietud (conocido como alerta activa) donde aparece agitación motora con movimientos de brazos y piernas no es lo mismo que el llanto y, por tanto, nuestra respuesta no tiene que ser exactamente la misma.

- Cuando observamos que el niño pasa a un estado de llanto claro y tras unos segundos no ha podido calmarse por sí solo, es cuando debemos de poner en práctica nuestras estrategias para consolarlo.

Calmar al pequeño o que se tranquilice por sus propios medios forma parte del aprendizaje de adultos y niños.

- Durante los primeros meses, tiene que saber que sus necesidades van a estar cubiertas y que sus demandas van a ser atendidas, es decir, tiene que tener la experiencia de que cuando llora alguien va a ir a atenderlo.

- Todo esto es un proceso de aprendizaje en el que participan los adultos y el niño, en el cual los tiempos de espera entre las demandas del niño y las respuestas de los adultos se irán ajustando en la medida en que ambas partes empiecen a conocerse mejor. Así pues, la cuestión está en saber reconocer e interpretar sus necesidades para responder teniendo en cuenta siempre su nivel de desarrollo.

Los problemas leves

¿Qué podemos hacer?

Debemos conocer la rutina de los bebés para detectar cualquier indicio de problema. Nada más nacer, su llanto nos inquietará y aquí encontraremos la forma de actuar para que se sienta protegido y su inquietud pueda remitir

10 ¿Cómo calmar al bebé durante los primeros meses?

LO PRIMERO que debemos hacer es intentar descubrir si el niño llora porque está mojado, tiene hambre, frío o calor. Cuando tenemos la certeza de que no sucede ninguna de estas cosas, nos sentimos desconcertados y angustiados ante el llanto de un bebé.

LAS CONSECUENCIAS

A medida que va pasando el tiempo y vamos conociendo mejor al niño y su comportamiento, podremos poner en marcha algunos pasos para cuando estemos seguros de que no hay nada que le esté molestando e intentar consolarle de una forma paulatina, ofreciéndole cada vez más apoyo y contención de una forma escalonada. De esta manera, también nosotros vamos aprendiendo cómo se puede consolar mejor al niño y cuánta atención por parte del adulto necesita en cada situación. Lo más importante que debemos tener en cuenta cuando vayamos a poner en práctica estas maniobras de consolación es que son acumulativas, es decir, que se van sumando, ofreciendo al bebé más apoyo y tranquilidad con cada una de ellas.

De esta forma, cuando queramos poner en marcha estos pasos, lo primero que podemos hacer es acercarnos a su cuna y quedarnos a una distancia en la que el niño nos pueda ver (unos 20 centímetros) durante un tiempo limitado (una media de 15 a 20 segundos). Si observamos que el bebé sigue llorando y agitado, continuaremos en esta misma posición y comenzaremos a hablarle, siempre utilizando un tono de voz dulce y acogedor, ya que lo que estamos intentando en ese momento es tranquilizarlo. Si no da resultado, seguiremos haciendo lo mismo además de colocar nuestra mano sobre su abdomen, sin apretar. No es necesario mover la mano ni dar masajes, simplemente la dejamos coloca-da sobre su abdomen y seguimos hablándole a la misma distancia que antes.

Si a pesar de todo el niño continúa llorando, podemos cogerlo en brazos y mante-nerlo abrazado, sin dejar de hablarle con suavidad y poniéndonos cerca de su cara. Si este paso tampoco nos da buen resultado, ahora que tenemos al niño en brazos podemos me-cerlo suavemente y seguir hablándole. Debemos tener en cuenta que hay muchos niños a los que les va resultar más difícil calmarse que a otros, así que si el bebé todavía en bra-zos sigue llorando, podemos intentar arroparlo de tal manera que le disminuyan los mo-vimientos tanto de brazos como de piernas, para que sus propios movimientos no le sir-van como estímulo para seguir agitado. Si finalmente todos los pasos dados no han conseguido llevar al bebé a un estado de mayor tranquilidad, podemos echar mano de un chupete o acercar su propia mano a la boca, mientras le mantenemos arropado y segui-mos meciéndole, hablándole e intentando permanecer dentro de su campo visual.

Estos pasos son sólo una orientación que nos puede ayudar en las primeras sema-nas; poco a poco iremos poniendo en marcha nuevas estrategias y descubriendo aquellas que nos dan mejor resultado.

✓¿Qué podemos hacer?

A continuación se presentan los pasos que propone el doctor Brazelton dentro de su escala de evaluación del comportamiento neonatal para calmar a un recién nacido en estado de llanto, siempre y cuando le hayamos dado la oportunidad (durante unos pocos segundos) de calmarse por sí mismo. Los pasos son los siguientes:

- Ponernos frente a él, cara a cara.
- Mirarle mientras le hablamos.
- Colocarle la mano sobre su vientre.
- Restricción de los movimientos de sus brazos.
- Cogerlo en brazos y mantenerlo abrazado.
- Tenerlo en brazos y mecerlo.
- Arroparlo, mantenerlo en brazos y mecerlo.
- Acercarle el chupete a la boca.

Colocar la mano sobre su vientre
sin presionar le aporta seguridad.

11 ¿El masaje ayuda a disminuir el lloro y la tensión del bebé?

EL ARTE del masaje es una de las aplicaciones terapéuticas más antiguas que se conocen. Entre los efectos más importantes que se le atribuyen a esta técnica milenaria está facilitar la relajación y aportar sensación de bienestar a la persona que lo recibe. Este es uno de los principales objetivos de la aplicación del masaje en los bebés, muy extendida en las culturas orientales. También tiene otros efectos, como mejorar el cuidado de la piel, estimular el desarrollo del pequeño, facilitar su aprendizaje, ayudar a integrar nuevas sensaciones o reforzar el vínculo con el adulto. De algunos de ellos hablaremos en otros apartados de este libro, ya que tienen una relación muy directa con diversos tipos de llanto. En este capítulo nos centraremos en cómo y por qué podemos disminuir la tensión y el estrés del niño a través del masaje.

LAS CAUSAS

Son muchas las sensaciones nuevas a las que el bebé tiene que enfrentarse después de su nacimiento, además del constante aprendizaje al que está sometido, que le produce continuas y numerosas situaciones de tensión. Cuando el niño está nervioso, puede utilizar el lloro como forma de liberación y habrá además un aumento del tono muscular.

LAS CONSECUENCIAS

Toda la superficie cutánea contiene receptores para el tacto, el calor, el frío, el dolor, la presión, así como para otras muchas sensaciones. Mediante nuestras manos conseguimos estimular sobre todo las sensaciones del

tacto y el calor. Éstas, de forma indirecta, tienen la propiedad de relajar el sistema nervioso central cuando hay una zona dolorosa o con tensión acumulada. Nosotros no eliminaremos directamente la tensión acumulada en los tejidos, por ejemplo ablandando los músculos contracturados, pero sí que ayudaremos al cerebro a que disminuya su hiperactividad en la zona afectada. Para conseguirlo, el masaje debe ser muy suave, mediante rozamientos superficiales que no vayan más allá de la piel y de los músculos superiores. Debemos recordar que es diferente al masaje que podemos aplicar en un adulto, a través del que también podemos beneficiarnos de los efectos mecánicos y directos que aportan nuestras manos.

El organismo se relaja porque se facilita el flujo sanguíneo y linfático, produciéndose la apertura de los capilares más alejados del corazón; este hecho aporta más calor, oxígeno y nutrientes a la piel y los músculos. Al mismo tiempo, este flujo facilitará la eliminación de las sustancias de desecho que se hayan quedado en algún momento bloqueadas y retenidas en estas zonas del organismo.

Otros mecanismos fisiológicos son la liberación de sustancias relajantes por el sistema nervioso central y la inhibición de las fibras que transmiten las sensaciones dolorosas desde los receptores periféricos. La musculatura lisa propia de los órganos internos también se verá beneficiada a través del masaje, y tendrá más repercusión si el llanto ha sido causado por dolores debidos a cólicos del aparato digestivo, como veremos más adelante en el capítulo correspondiente a este malestar craterístico de los bebés. Ningún tipo de masaje debe aportar el más mínimo malestar ni tensión al niño.

✓¿Qué podemos hacer?

Aplicaremos el masaje directamente sobre la piel, pudiendo utilizar aceites de baño o aromáticos para aumentar las sensaciones placenteras. Colocaremos al bebé desnudo sobre nuestro regazo, ayudándonos de una toalla para cubrir las zonas que no se vayan a masajear y evitar así una indeseada pérdida de calor corporal. La temperatura de la sala deberá estar entre los 24 y 35 °C; por encima y por debajo de dicha temperatura el bebé se sentirá demasiado incómo para poder relajarse.

En cualquier técnica de masaje infantil que apliquemos será fundamental tener en cuenta que se tratará siempre de un rozamiento superficial, realizado mediante movimientos constantes, rítmicos y suaves. Si lo hacemos así, obtendremos un gran éxito en la relajación del bebé, estimulando el vínculo tonicoafectivo con él y consiguiendo de esta forma una mejor comprensión de los motivos que han generado su llanto.

A continuación se describen unos sencillos masajes que podemos realizar para calmar el llanto del niño de cualquier edad, a partir de la caída del cordón umbilical. Comenzaremos desde el abdomen, con el niño yaciendo de frente a nosotros. Utilizaremos la palma de nuestras manos, abiertas y relajadas, para deslizarnos por la piel de su abdomen y tórax. Recorreremos suavemente desde la pelvis de un lado hasta el hombro contrario y, a continuación, el recorrido simétrico con la otra mano. Describiremos así una forma de cruz que repetiremos cinco veces a cada lado.

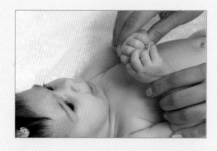

1 Primero tomaremos los brazos del niño, primero uno y después el otro. Con ambas manos, recorreremos la piel en dirección ascendente, desde las manos hasta los hombros. Nuestras manos rodearán toda su superficie, sin presionar en exceso, pero imaginando que estamos ayudando a la sangre en su retorno venoso hacia el corazón. Repetiremos diez veces esta técnica antes de pasar al otro brazo. No debemos incidir demasiado en las axilas.

2 Seguidamente nos dedicaremos a las piernas, aplicando el masaje en la misma dirección ascendente, esta vez desde los tobillos hasta las caderas. La mano rodeará las piernas y muslos adaptándose a sus formas, pero sin realizar presión circular, como si fuera un brazalete y realizaremos un  deslizamiento superficial. Repetiremos también cada paso diez veces en los miembros inferiores y evitaremos incidir en las ingles ni en las articulaciones.

3 Posteriormente será el turno de las manos y los pies, zonas muy ricas en terminaciones nerviosas, por lo que aquí los masajes son de gran eficacia para conseguir relajar al bebé y disminuir su llanto. Nos ayudaremos de nuestros dedos pulgares que, realizando rozamientos circulares y alternativos, masajearán primero la planta de 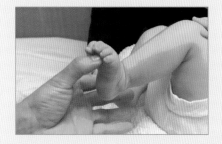 los pies. No debemos olvidar ningún centímetro de piel, deteniéndonos si es necesario en las zonas donde el niño disfrute más. Continuaremos por el dorso de las manos y los pies, para finalizar masajeando suavemente los dedos y la superficie entre ellos.

4 Para finalizar el masaje relajante, colocaremos al bebé boca abajo sobre nuestras piernas, aprovechando que ya se ha familiarizado con el masaje, debido a que esta posición suele ser peor tolerada que otras. Nuestras manos realizarán un rozamiento suave por toda la espalda desde arriba hacia  abajo, recorriendo diferentes líneas verticales y paralelas hasta cubrir toda la superficie. Alternaremos nuestras manos al hacer el masaje, pero siempre de forma muy suave y sin presión, más bien a modo de caricia. Podemos incluir también la parte posterior de la cabeza, el cuero cabelludo y el pelo, siempre teniendo excesivo cuidado con la zona de las fontanelas.

12 ¿Cómo debemos actuar para aliviar el llanto que producen los cólicos?

EL LLANTO debido a cólicos afecta aproximadamente a un 25 por ciento de los bebés hasta alcanzar la edad de cuatro meses.

LAS CAUSAS

El origen del dolor y del malestar se suele centrar con frecuencia en el aparato digestivo. Sin embargo, se desconoce con precisión la causa orgánica en la mayoría de los casos.

✓ Sabías que...

Con el masaje reduciremos el dolor debido a que la inervación de las vísceras está en los mismos niveles medulares que la inervación de la musculatura y la piel de la zona abdominal. Mediante mecanismos indirectos del sistema nervioso, si estimulamos las terminaciones nerviosas cutáneas para relajar la musculatura externa, también disminuiremos la irritabilidad y percepción del dolor en estructuras más internas. Al mismo tiempo, el masaje puede ayudar a aliviar el dolor y facilitar el tránsito intestinal a través del efecto mecánico directo de nuestras manos sobre el abdomen.

Los cólicos son dolores agudos producidos en la región abdominal originados en los órganos huecos formados por fibras musculares lisas. Al principio el dolor suele ser repentino para luego reducirse progresivamente, hasta una nueva sensación intensa de «pinchazo». De forma general, se usa el «término cólico del lactante» cuando el bebé llora sin razón aparente durante más de tres horas, como mínimo.

Los cólicos son dolores agudos producidos en la región abdominal

---

LAS CONSECUENCIAS

Estos periodos de irritabilidad serán frecuentes durante varios días a la semana, prolongándose en el tiempo tres semanas o más. Durante el llanto, las piernas se flexionan con frecuencia y el bebé aprieta las manos y el tronco. Los cólicos pueden deberse a una intolerancia a alguna sustancia, a comer en exceso, demasiado poco o demasiado rápido, a los gases, al miedo, a la excitación, a la inmadurez o a las adaptaciones durante la novedosa experiencia de la digestión después del nacimiento, entre otros muchos y diversos motivos. Es importante que sean descartadas otras alteraciones por un especialista.

✓¿Qué podemos hacer?

La aplicación del masaje se hará siempre con una presión muy suave para mejorar la expulsión de gases, el estreñimiento o los cólicos del lactante. Si ejerciésemos presión sobre el pequeño, le podemos provocar un excesivo dolor. A continuación se explican paso a paso unas sencillas técnicas de masaje para aliviar los cólicos.

1 Comenzaremos el masaje con un contacto mantenido de nuestras manos sobre la superficie cutánea en la tripa del bebé. Ambas manos serán suficientes para abarcar desde el pubis hacia ambos costados y hasta las costillas. Mantendremos la suave presión del contacto, sin aplicar mayor fuerza, durante aproximadamente un minuto. Además de estimular las terminaciones nerviosas táctiles, capaces de inhibir las fibras nerviosas que transmiten las sensaciones dolorosas, conseguiremos aumentar la temperatura de la zona. Nuestro calor corporal también aporta efecto analgésico de forma local y natural.

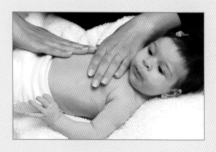

2 A continuación deslizaremos nuestras manos por la línea vertical central del abdomen, de arriba hacia abajo. Los rozamientos serán alternos y rítmicos, primero una mano y después la otra, a velocidad suave y agradable. Podemos comenzar desde el pecho y descender hasta el pubis y repetiremos la secuencia varias veces. Al finalizar mantendremos una mano suavemente posada sobre el centro del abdomen. Esta vez nuestra mano moverá suavemente la superficie cutánea pegada a ella. Arrastraremos los tejidos en un suave y pequeño movimiento circular, en el sentido de las agujas del reloj y con eje de giro en el ombligo.

3 Por último, aplicaremos un masaje de rozamiento superficial en direcciones contrarias. Desde el centro, llevaremos las manos hacia los laterales opuestos. También desde el centro, llevaremos una mano hacia arriba y otra abajo. Realizaremos diez pasajes en cada dirección, pudiéndose hacer seguidos o alternativamente.

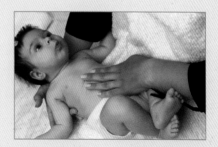

13 ¿Cómo se disminuye la irritabilidad por el nacimiento de los dientes?

LOS PRIMEROS dientes que salen son los de leche, que no son los definitivos. A partir del sexto mes, lo más probable es que comiencen a salir los incisivos o dientes de delante de arriba y abajo. El masaje de la boca se puede aplicar de forma preventiva a partir de esta edad para calmar el llanto, aunque tarden un poco más en brotar los dientes.

CAUSAS Y CONSECUENCIAS

El dolor por el nacimiento de los dientes es una experiencia por la que tienen que pasar todos los bebés y nosotros podemos ayudar a que no sea tan desagradable mediante el masaje y proporcionándole al pequeño mordedores que puedan calmar la zona. La base de su aplicación por las encías, de manera que intentaremos acceder a la hiperexcitabilidad del nervio que transcurre por ellas y aporta sensibilidad a toda la zona. Estimulando los receptores del tacto, inhibiremos las fibras que están transmitiendo la sensación dolorosa al cerebro y que son las responsables del llanto del niño. Al mismo tiempo, estimularemos el riego sanguíneo en la zona, favoreciendo la cicatrización y la eliminación de las sustancias de desecho como residuo de la reparación de los tejidos.

✓ Sabías que...

Además del dedo, será muy útil aplicar el masaje con un mordedor. Debido a sus diferentes textura (incluso hay algunos en el mercado que tienen la ventaja de poder aplicarse fríos), consiguen una mejor anestesia local. Cuanto más atrayente sea, mejor acogido será por el niño, que se lo introducirá en la boca para explorarlo, mordiéndolo y realizando presiones de tal manera que calme así sus encías. El efecto analgésico del frío lo podemos obtener mojando nuestro dedo en hielo o incluso aplicando objetos fríos desde fuera a través de los carrillos (nunca estarán congelados, ni tocarán directamente la piel para evitar quemaduras).

✓ ¿Qué podemos hacer?

En el masaje intraoral será fundamental tanto la higiene de nuestras manos como la del bebé. Es una zona muy delicada y podría convertirse en la vía de entrada de gérmenes no sólo por el acceso al aparato digestivo, sino también porque las mucosas y las lesiones de la piel por el nacimiento de los dientes son zonas más desprotegidas.

- Nos lavaremos las manos durante cinco minutos con un jabón antiséptico y nos cortaremos las uñas. Podemos utilizar guantes de exploración, asegurándonos antes de que el niño no sea alérgico al látex. Como regla general, hay que evitar tocar la lengua para no estimular el vómito o el reflejo de succión, y nunca masajearemos directamente sobre una herida o zona lesionada por el nacimiento de un diente.
- Calmaremos la zona por medio del masaje en los tejidos adyacentes que la rodean, para disminuir las posibilidades de infección o provocar dolor.

1 Comenzaremos introduciendo nuestro dedo meñique por la región externa de las encías. Lo mejor es empezar en la región delantera e irse deslizando hacia atrás y hacia arriba. Realizaremos movimientos de rozamiento suaves, describiendo lentamente pequeños círculos que estimulen la base de cada diente. Cuando el bebé comienza a tolerar el masaje, debemos insistir en las regiones superiores de la encía, en el límite con la musculatura del carrillo. Masajearemos primero la región externa de ambos lados de arriba y después los dientes de abajo.

2 Después lo iniciaremos arriba, pero esta vez por la región interna de cada encía. Antes de descender a las encías inferiores, no olvidemos masajear también el paladar en su región delantera, cercana a los dientes, Con el mismo dedo masajearemos ahora el carrillo desde la parte interna, ampliando los movimientos circulares primero en un lado y luego en el otro. Será el turno ahora de los bordes de las encías, justo donde se produce la rotura del diente. El masaje de la boca no se debe aplicar durante un tiempo muy prolongado porque se limita la respiración.

14 ¿Cómo se alivia el dolor que provoca el estreñimiento?

LAS CAUSAS

Muchos niños tienen dificultades para expulsar las heces, ya sea por la falta de hidratación, la escasez de fibra en su alimentación, la inmadurez de su sistema digestivo u otras causas.

LAS CONSECUENCIAS

Como resultado del bloqueo intestinal, se producen gases, sensación de pesadez, hinchazón, dolor y malestar, que en el niño manifestará a través del llanto. De manera habitual, los recién nacidos manchan el pañal después de cada toma. Sin embargo, las deposiciones se irán distanciando progresivamente, reduciéndose a dos diarias en los primeros meses y luego a una cuando son más mayores. Algunos niños pueden manchar el pañal un poco menos, como se observa con mayor frecuencia cuando la alimentación que reciben ya no es de leche materna. Además, la consistencia de las heces no debe ser excesiva, para poderse eliminar con facilidad.

Para cambiar la solidez, se recomienda una mayor ingesta de agua y variar el tipo de alimentación, debiendo consultarse siempre con el pediatra, ya que será posible introducir unos alimentos y otros no en función de la edad del niño. Para estimular la expulsión de heces algunos pediatras recomiendan realizar un masaje en la región anal, ya sea con la punta de un termómetro de pequeño grosor o un bastoncillo higiénico. Masajearemos suavemente el esfínter externo e introduciremos el objeto ligeramente con ayuda de algún lubrificante, como el aceite.

✓ Sabías que...

Se puede aliviar el dolor con unos sencillos ejercicios: comenzaremos flexionando las piernas del bebé hacia el pecho. Las mantendremos durante unos cinco segundos en la posición de flexión máxima, para después relajarlas hasta la posición inicial. Repetiremos unas diez veces, pero sin ejercer mucha presión para no inducir el vómito. A continuación, pasaremos a flexionar las piernas de forma alternativa, es decir, llevaremos la izquierda hacia el pecho y estiraremos la pierna derecha. Después de mantener cinco segundos, invertiremos la posición.

✓¿Qué podemos hacer?

Con unos sencillos consejos, podemos ayudar a disminuir el llanto del niño causado por el estreñimiento. Para ello utilizaremos unos ejercicios muy fáciles y un suave masaje abdominal con dos funciones. Ambos ayudarán al tránsito intestinal y facilitarán la consistencia de las heces debido a los efectos mecánicos generados por la aplicación de las manos y la consiguiente movilización del intestino. Por otro lado, calmarán la zona al estimular los receptores cutáneos de la sensibilidad de la región abdominal y los situados internamente sobre el aparato digestivo.

1 El masaje para el estreñimiento trata de disminuir la consistencia de las heces, al mismo tiempo que las drena hacia su lugar de expulsión. Comenzaremos drenando la parte más cercana al ano, el colon descendente. Para ello, deslizaremos nuestras manos describiendo una línea vertical y descendente en la región abdominal izquierda del bebé. Nuestras manos se alternarán suavemente por la piel, desde la zona superior cercana a las costillas izquierdas hasta la zona púbica izquierda. El tracto siguiente es el colon transverso que drenaremos desde la derecha hacia la izquierda.

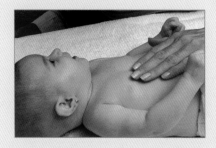

2 Trazaremos de forma alternativa con nuestras manos una línea imaginaria horizontal por encima del ombligo, siempre en la misma dirección descrita, nunca al contrario. Por último, drenaremos el colon ascendente, masajeando con la misma técnica manual anterior, pero esta vez en la región derecha del abdomen. Para facilitar el tránsito intestinal en esta región, describiremos una línea ascendente desde el pubis del lado derecho hasta la región costal del mismo lado. Repetiremos unas diez veces cada paso del masaje, de forma orientativa y siempre teniendo en cuenta la tolerancia o necesidades del bebé. Para completar este masaje de drenaje intestinal, finalizaremos con un masaje de rozamiento suave circular sobre la pared abdominal, con una aplicación mínima y describiendo círculos alrededor del ombligo. La dirección del movimiento será siempre en el sentido de las agujas del reloj porque de esta forma se facilita el tránsito intestinal.

15 ¿Los picores prolongados pueden provocar el llanto?

LA DERMATITIS atópica se caracteriza por lesiones cutáneas inflamatorias de diferentes características, pudiendo ser como pequeños granos o ampollas.

LAS CAUSAS

La dermatitis atópica es la más común que padecen los niños y aunque se desconoce la causa precisa, se asocia a alteraciones del sistema inmunológico, un déficit de la hidratación y del trofismo cutáneo. En los lactantes suele aparecer de los tres a los seis meses de vida, y las alteraciones cutáneas por lo general surgen en la cara, el cuero cabelludo, las extremidades y es frecuente también en las rodillas. En los niños más mayores pueden aparecer en las regiones de flexión de las articulaciones porque son zonas que tienen una mayor sudoración.

√ Sabías que...

El masaje será un arma muy eficaz para evitar el llanto porque calmará la zona e inducirá al niño a la relajación, pero también será útil para prevenir la aparición de los granitos debido a la hidratación y aumento del riego sanguíneo en la zona.

LAS CONSECUENCIAS

Además de las diferentes formaciones que aparecen en la piel, el tejido cutáneo está, de forma general, seco, enrojecido y con cierto picor que empeora siempre con el calor y la sudoración. El llanto del niño surge precisamente por este último síntoma, ya

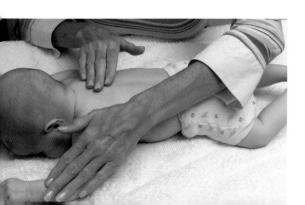

sea porque le irrita y es incapaz de rascarse o porque consigue alcanzar la zona con su mano, provocándose heridas y más irritación. Además, el llanto podrá verse acrecentado cuando coincida con el periodo de la dentición y los constantes cambios emocionales del niño.

✓¿Qué podemos hacer?

Como medidas higiénicas y preventivas debemos evitar el contacto con tejidos de lana y plástico. La higiene será fundamental y, por tanto, habrá que utilizar un jabón adecuado recomendado por un especialista y cambiar frecuentemente los pañales. La alimentación también tendrá que ser variada y debemos eliminar los alimentos que aumenten la reacción alérgica del bebé. Respecto a la casa, será aconsejable no tener objetos que acumulen polvo y ácaros, como las alfombras.

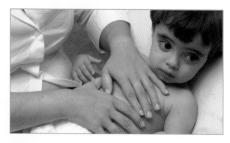

■ Aplicaremos el masaje a diario, utilizando cremas hidratantes ricas en ácidos grasos insaturados. También podemos utilizar aceites naturales, como el de avena. Preferiblemente evitaremos utilizar lubricantes con perfumes u otras sustancias artificiales que puedan producir mayor reacción alérgica en la piel del bebé. Evitaremos siempre los lugares donde las lesiones estén abiertas o excesivamente irritadas, inflamadas y enrojecidas, tratando de

La zona irritada se calmará si aplicamos un masaje alrededor de la misma, sin llegar a tocarla.

calmar la zona gracias al masaje de las partes adyacentes. En estas zonas podemos agravar la situación debido al riesgo de infección al que están expuestas. Para cubrir toda la superficie cutánea, aplicaremos el siguiente masaje relajante:

1 Comenzaremos por la parte delantera del tronco, deslizando nuestra mano desde el hombro derecho hasta la cadera izquierda; seguidamente la pasaremos desde el hombro izquierdo hacia la cadera derecha. Alternaremos nuestras manos de forma rítmica dibujando unas diez veces la forma de un aspa, de forma que masajearemos toda la superficie del pecho y el abdomen.

2 Aprovechando que el niño está tumbado boca arriba en la toalla o en nuestro regazo, pasaremos a masajear los brazos. Lo haremos con rozamientos superficiales de forma circular, para que resulte más sensitivo. Primero en un sentido y luego en otro, retorceremos suavemente la piel de cada uno de sus brazos mientras aplicamos crema o aceite. No debemos olvidar la zona de los hombros ni de la palma y dorso de la mano, donde aplicaremos el masaje con suaves movimientos circulares de nuestras manos y dedos. Seguidamente, pasaremos a los miembros inferiores, donde aplicaremos exactamente la misma técnica. Lo haremos unas diez veces en cada pierna y siempre primero una y luego la otra.

Descenderemos por toda la superficie cutánea desde la cadera hasta los pies, aplicando el masaje circular en ambos sentidos. Podemos girar nuestras manos alrededor de los miembros superiores e inferiores hacia el mismo lado simultáneamente o hacerlas girar al contrario, intensificando así la acción sobre los tejidos.

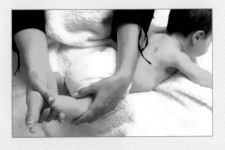

3 Será ahora el turno de la cara, donde dibujaremos sus contornos con nuestros dedos índices. Evitaremos deslizar la yema de los dedos por la región de los ojos, aplicando la crema al mismo tiempo por la frente, la nariz, los carrillos, el contorno de la boca, la mandíbula y el cuello. Comenzaremos desde la línea media y aplicaremos un masaje de rozamiento suave, estirando la piel hacia cada uno de los laterales.

4 Para continuar el masaje, debemos colocar a nuestro pequeño tumbado sobre su tripita. Quedará así libre la espalda para la aplicación del masaje. En la espalda realizaremos la misma secuencia que ya hemos practicado por la parte delantera: desde un hombro hasta la cadera contraria, de forma alternativa con nuestras manos, para ir dibujando una gran aspa por toda la superficie.

5 Por último, y aprovechando la posición en la que está el niño, masajearemos la cabeza, el cuero cabelludo y el pelo. Para ello utilizaremos las yemas de todos los dedos, imaginando el movimiento que se realiza cuando lavamos esta zona, pero mediante la aplicación de una sustancia hidratante. Con dichos movimientos suaves y circulares, masajearemos toda la zona sin presionar excesivamente el cráneo, recorriendo el cuero cabelludo y la raíz del pelo. El niño sentirá una gran sensación de relax que le ayudará a calmarse definitivamente, aunque los picores continúen: logrará olvidarse de ellos durante unos momentos.

16 ¿Qué es la tortícolis y cómo se puede tratar?

LA TORTÍCOLIS es una alteración que puede producirse en los bebés por diversas razones. Es importante conocer las características de este problema, que puede producir dolor y malestar en el bebé, para poderlo consultar con el especialista. Al igual que le sucede a un adulto, la tortícolis resulta muy molesta.

LAS CAUSAS Y LAS CONSECUENCIAS

La gravedad de esta alteración es muy variable, según su grado y en función de sus características y de la causa que la haya provocado, pero todos los casos tienen en común el dolor en la región cervical. El niño rotará la cabeza frecuentemente más a un lado que al otro, ya sea porque le duele o porque se siente incómodo cuando la gira hacia el otro lado. Esta característica puede darse desde el nacimiento del bebé, debido a un mal posicionamiento del feto en el útero durante la gestación. Además de esta causa postural, pueden añadirse otros factores, como la rigidez de los músculos rotadores del cuello, que podrían estar acortados por la propia posición o por otras causas que se desconocen.

No sólo los músculos se pueden ver afectados, sino también la columna vertebral cervical, que al no poseer una correcta extensión se tiene que inclinar hacia los lados para compensar la falta de giro de la cabeza. Esto lo podemos comprobar porque la oreja del lado contrario al que mira siempre estará más cercana al hombro, como si ese lado del cuello no pudiese estirarse correctamente.

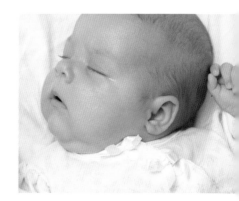

✓ Sabías que...

El diagnóstico de la tortícolis debe realizarlo el médico pediatra y el tratamiento debe ser aplicado por un fisioterapeuta. Sin embargo, es importante para los padres o cuidadores del bebé aprender a manejar el llanto del niño producido por la tortícolis.

Como resultado, el niño tiene dificultades para mirar hacia al lado opuesto, incluso cuando intentamos llamar su atención o estimularle desde allí. Si la tortícolis es más leve o sutil, conseguirá rotar la cabeza, pero no completamente, porque el llanto se iniciará en los últimos grados de giro. Otras veces los adultos pueden darse cuenta de que algo va mal por la dificultad que presenta el alimentarle desde un lado respecto al otro, por ejemplo al tomar el pecho o biberón.

Otras veces el llanto aparece cuando, sin darnos cuenta, le giramos la cabeza nosotros mientras le vestimos, le cambiamos el pañal o le estamos bañando. No entenderemos por qué se pone a llorar sin que aparentemente haya habido un movimiento brusco u otra causa que lo justifique. Al niño le duele el cuello, como nosotros habremos experimentado alguna mañana cuando hemos mantenido una mala posición durante la noche. Sin embargo, las consecuencias de la tortícolis infantil pueden ser mucho más serias, y, por tanto, será fundamental observar la postura del niño durante el día para calmar su llanto.

✓ ¿Qué podemos hacer?

Las normas de higiene postural son muy simples, únicamente debemos procurar que, durante el mayor tiempo posible del día y de la noche, el niño mantenga la cabeza lo más recta posible. Es evidente que debemos realizarlo de forma progresiva y adaptándonos al dolor del bebé, evitando en todo momento que llore.

■ Para ello podemos ayudarnos de almohadas o toallas que eviten el giro de la cabeza de forma insistente hacia un lado. Podemos realizarlo durante el día cuando está tumbado, o en su cochecito, pero también mientras duerme en la cuna. Las colocaremos entre la oreja y el hombro, impidiendo la rotación de la cabeza y, al mismo tiempo, estirando suavemente la musculatura. Debemos recordar que los bebés en principio no necesitan una almohada como los adultos.

■ Otra manera de facilitar su mejoría es evitar estimularle constantemente por el mismo lado al que mira. Para ello a veces será necesario acudir siempre a la cuna por el otro lado, y en los casos en que no nos es posible, por estar junto a la pared,

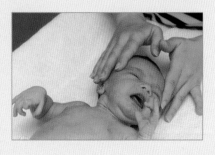

podemos invertir la posición de cabecera y pies del niño. Otro consejo puede ser la alternancia del lado sobre el que le tumbamos para alimentarle, siendo más sencillo durante la lactancia materna. Estas recomendaciones se deben tener en cuenta también durante los momentos de vestirle y desvestirle, la higiene y el juego.

■ Suavemente y con nuestras manos, también podemos ayudarle a calmar el llanto mediante leves estiramientos o un masaje. Para estirarle los músculos del cuello, sujetaremos al bebé del pecho con una mano, mientras descansa sobre una superficie firme. Con la otra mano rotaremos suavemente la cabeza, primero hacia el lado fácil, manteniendo unos

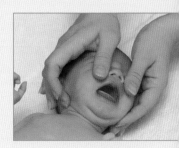

segundos la posición. A continuación, rotaremos hacia el lado contrario, esta vez más lentamente, para poder parar en el momento en que el niño comience a sentirse incómodo. Lo mantendremos así el mismo tiempo que en la posición anterior. El objetivo será aumentar progresivamente la tolerancia a la rotación hacia el lado que tiene más dificultad, calmando así el dolor.

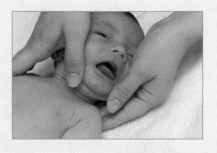

■ De la misma forma estiraremos con cuidado el cuello hacia los lados, inclinando la cabeza con la mirada del niño hacia el frente. Llevaremos la oreja hacia el hombro del mismo lado de forma suave y progresiva, sin provocarle malestar.

■ El masaje implica unas maniobras sencillas que consisten en suaves rozamientos de la zona lateral y posterior del cuello. Utilizaremos para ello las yemas de nuestros dedos más largos que, dependiendo del tamaño del bebé, pueden ser dos o hasta cuatro. Realizaremos movimientos circulares, mientras nos deslizamos por toda la superficie, desde la base del cuello hasta detrás de las orejas. Por supuesto, la presión ejercida será siempre muy leve para no provocarle daño alguno al pequeño.

■ Con estos sencillos consejos podemos ayudar a la recuperación paulatina del bebé. Y al mismo tiempo que facilitamos su bienestar, calmamos su dolor y el llanto.

17 ¿Cómo evitar y prevenir el llanto por cansancio?

LOS NIÑOS no nacen con el hábito del sueño ya adquirido y el cansancio es uno de los motivos más frecuentes por los que el bebé llora.

LAS CAUSAS

Los recién nacidos necesitan dormir la mayor parte del día, dedicándose mayoritariamente a la alimentación durante los periodos de vigilia. Es importante conocer el número de horas típicas de sueño en la primera infancia, pero también cómo repartirlas a lo largo del día para evitar que el niño se muestre irritable. El ritmo puede variar según cada niño y su edad, pero lo importante es crear un hábito adecuado en concordancia con sus ritmos biológicos. Incluso cuando son más mayores, podemos prevenir el comportamiento conocido popularmente como «ponerse tonto», proponiéndole una siesta durante el día después de una actividad física o mental intensa. Ellos mismos no saben interpretar la sensación de cansancio que les invade, manifestándose frecuentemente mediante lloros y rabietas. Podemos evitarlo orientándolos en este buen hábito de forma regular.

✓ ¿Qué podemos hacer?

Muchas veces el principal problema de que el niño no duerma es precisamente el llanto. A pesar de ello, debemos intentar no perder el ritmo de sueño-vigilia, para que el círculo vicioso no se agrave cada vez más. Aplicando los hábitos más adecuados, cuando el niño llora durante las horas de descanso, tenemos que tener en cuenta la forma en que debe conciliar el sueño. El bebé debe aprender de forma progresiva a iniciar solo el sueño, pudiéndole ayudar con elementos de referencia,

Ocasionalmente el propio sueño es el causante del lloro.

como un muñeco, el chupete, su habitación o su cuna, para que vaya relacionándolos con la repetición del hábito. Todos conocemos niños especialmente «llorones» y no debemos pensar que se debe a la dificultad de los adultos para hacerse con ellos.

18 ¿Existen las lágrimas sin llanto y el llanto sin lágrimas?

LAS LÁGRIMAS son uno de los efectos fisiológicos más conocidos y vinculados al llanto, por lo que dedicaremos un capítulo especial a sus alteraciones. Este líquido, compuesto de agua, sales, componentes mucosos y proteínas, es liberado desde las glándulas lagrimales situadas en la zona superior de la órbita y el párpado. Una vez que han recorrido la superficie del ojo, se eliminarán por los canales del lagrimal situados en la región del ojo cercana a la nariz. Cuando las lágrimas son drenadas al interior de la nariz, se evaporan o se unen a las mucosidades. La función de las lágrimas consiste en hidratar y nutrir la córnea, limpiar y proteger el ojo, facilitar la visión y lubricar el movimiento del párpado.

✓ Sabías que...

Las lágrimas se producen en las glándulas lagrimales con dos tipos de ritmos. Uno, realizado de forma constante pero de poca intensidad, facilita la visión, la hidratación y la protección. El otro es puntual y generado de forma refleja ante diferentes estímulos como el llanto, la entrada de un objeto en el ojo o determinadas emociones. Al ser de mayor intensidad, tiene la función de enjuagar el ojo mediante el desbordamiento de las lágrimas.

LAS CAUSAS Y LAS CONSECUENCIAS

Hay padres que pueden sentirse preocupados porque su hijo tiene los ojos constantemente humedecidos y con lágrimas, sin observar otros síntomas del llanto. Un porcentaje bajo de los recién nacidos presenta una obstrucción de los conductos de evacuación del lagrimal. Se puede observar en uno o en ambos ojos. Durante el lloro aumenta la cantidad de lágrimas, las cuales se desbordan, como ocurre si el niño nace con una fina membrana cubriendo el lagrimal. En la mayoría de los casos se resuelve solo antes del año de vida y en otros se necesita una pequeña intervención, pero en cualquier caso debemos consultar al especialista, porque puede haber otras causas. En los casos más sencillos los conductos no están completamente desarrollados al nacer y los adultos responsables del bebé deberemos evitar infecciones siguiendo una correcta higiene de la zona. Además podemos aplicar un suave masaje en la zona mediante el dedo índice hacia arriba y hacia abajo, para intentar que drene o, en su defecto, rebose. Esto facilitará progresivamente la permeabilidad de los conductos y al mismo tiempo evitará que la mucosidad de la lágrima se acumule al evaporarse el agua, aumentando el riesgo de infecciones.

Por el contrario, puede suceder que el niño no produzca lágrimas en la cantidad necesaria, de ahí que tenga los ojos siempre secos e irritados. Habrá que consultar con el pediatra para que establezca un tratamiento a seguir.

✓ ¿Qué podemos hacer?

El llanto real se acompaña frecuentemente de lágrimas porque se trata, como ya hemos visto, de un reflejo nervioso vegetativo parasimpático. Sin embargo, puede haber otros estados de irritación en el niño que, al ser controlados conscientemente, no producen lágrimas. Un ejemplo de ello pueden ser las rabietas o enfados. Para aprender a diferenciar el llanto del bebé y el del niño más mayor, será fundamental su observación. Las lágrimas son un indicador más, aunque no el único, del estado emocional del pequeño. Aprenderemos a conocer su estado de ánimo, la cantidad de lágrimas que produce su lloro inconsciente, cuándo sus lágrimas son provocadas, cuándo hay un déficit en su producción o cuándo su exceso supera a las situaciones normales de llanto.

El verdadero llanto es aquel que provoca las lágrimas visibles.

■ En el caso del ojo seco, la producción de la cantidad de líquido o de la calidad de sus componentes estará alterada. El niño puede sufrir picor, sensación de ardor e hipersensibilidad a la luz, que le producen malestar y llanto. En estos casos debemos evitar que permanezca en ambientes secos, con aire acondicionado o con contaminación, protegiéndole de la luz directa o del excesivo viento.

Cuando el niño crece, puede provocar las lágrimas para conseguir lo que se propone.

19 ¿Qué son las apneas y la hiperventilación?

LA RESPIRACIÓN es un proceso puramente inconsciente, aunque se puede llegar a controlar a través de la voluntad cuando somos más mayores.

LAS CAUSAS

En la gestación el pulmón está lleno de líquido y no es funcional, ya que el aporte de oxígeno llegará a través de la placenta y el cordón umbilical. En el parto las concentraciones de oxígeno en sangre en el bebé se verán disminuidas y aumentará la cantidad de dióxido de carbono; esta situación activará los mecanismos automáticos del patrón respiratorio involuntario en el sistema nervioso central. A los pocos segundos de llegar al mundo el pulmón estará por primera vez lleno de aire y necesitará tiempo para adaptarse a su nueva función y situación.

LAS CONSECUENCIAS

De forma común se conocen las apneas como periodos en los que el bebé deja o «se priva» de respirar. Los recién nacidos tienen una respiración irregular o muy superficial, debido a la inmadurez del aparato respiratorio y del sistema nervioso, o a la debilidad de los músculos inspiratorios. Otro término que debemos conocer en el manejo del llanto será la hiperventilación, que se produce por un aumento excesivo de la frecuencia respiratoria, ya sea de forma inconsciente (durante un fuerte ataque de llanto) o de forma voluntaria. Este aumento del número de inspiraciones por minuto tiene un efecto contrario al descrito anteriormente. La concentración de oxígeno en sangre se verá incrementada de forma exagerada y, sin embargo, el dióxido de carbono se eliminará con mayor rapidez. Los mismos mecanismos neurológicos que nos hacen respirar de forma automática pueden inhibir y bloquear el patrón respiratorio. Así la respiración del niño puede verse interrumpida bruscamente, causando episodios de pérdida de conciencia de diferente gravedad. La hiperventilación puede producirse por un esfuerzo físico intenso o por un llanto que no es consolado.

✓ Sabías que...

La apnea emocional se suele producir a partir del primer o segundo año de vida. En este periodo puede aparecer la detención voluntaria de la respiración durante el llanto cuando está enfadado o irritado.

✓¿Qué podemos hacer?

ANTE UN EPISODIO DE APNEA

Las apneas más graves pueden durar más de
15 segundos y se verán acompañadas de espasmos y
cambios de coloración azulada en la cara (labios) y
cuerpo. Lo más frecuente es la apnea del sueño, que
puede ocurrir cuando el bebé duerme, pero también
puede suceder durante el llanto. En el caso de los bebés,
será fundamental una correcta vigilancia y comentarlo al
especialista para buscar las posibles causas. Las apneas
pueden deberse a problemas respiratorios, cardiacos o
neurológicos, entre otros.

Tras el parto los
pulmones tienen que
adaptarse a su nueva
función.

- En cuanto a la apnea emocional, es prácticamente imposible dejar de respirar de
forma voluntaria hasta la asfixia, ya que cuando los niveles de dióxido de carbono
son demasiado altos y los niveles de oxígeno son demasiado bajos, el cerebro nos
hace respirar de forma inconsciente. En un principio no debemos dejarnos
impresionar en exceso por esta conducta, sin darle gran relevancia, ni comentándolo
con otros adultos delante de él, asustándonos o castigándole. De esa manera, no
dejaremos que lo utilice en el futuro como una llamada de atención ante cualquier
situación de frustración. Sin embargo, debemos actuar con precaución porque se
pueden llegar a observar periodos de pérdida de conocimiento o de contracciones
musculares espasmódicas.

- Si la apnea se debe a un hecho traumático, como una
caída, intentaremos tranquilizar al niño cogiéndole en
brazos para normalizar la situación y que
progresivamente sea capaz de adaptarse a estas
situaciones y disminuir sus temores.

ANTE UN EPISODIO DE HIPERVENTILACIÓN

Si aumenta la frecuencia respiratoria, deberemos ayudar a que el niño se calme en los
casos en que no lo pueda controlar, o bien disuadirle cuando tiene un carácter más co-
laborador.

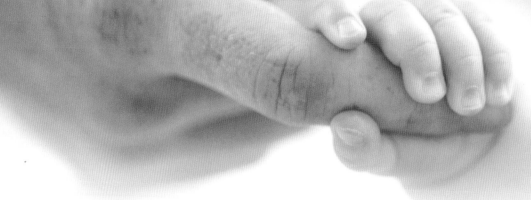

20 ¿Qué signos indican que el bebé se siente sobrecargado?

LAS CAUSAS

Resulta útil para los responsables del bebé entender que junto con la observación de los estados de conciencia del bebé, cada niño va a presentar lo que podemos denominar «umbral mínimo de estimulación», es decir, la cantidad de estimulación necesaria para que integre, utilice y responda de manera funcional y adecuada a esos estímulos que le estamos presentando. Por ejemplo, nos podemos encontrar con niños que ante un estímulo de poca intensidad van a tener una respuesta muy amplia y duradera; en este caso, podríamos decir que el niño se excita o altera con facilidad y que su umbral de estimulación es bajo.

LAS CONSECUENCIAS

Los adultos debemos darnos cuenta de que la estimulación que ofrecemos a un niño a veces es excesiva; para ello observaremos los signos externos que puede mostrar y que nos están describiendo una situación de estrés que va a dificultar la organización de su conducta. Estos signos nos indican que el niño se encuentra alterado, nervioso, sobrecargado o muy estimulado. Dichos signos pueden tener diferentes grados de intensidad y, por tanto, distintas respuestas por parte del adulto. Lo más importante es aprender a reconocerlos para que el niño no sufra una estimulación inadecuada en cantidad y calidad.

Podemos percibir también otros signos que nos anticipan que su situación de sobrecarga o fatiga se encuentra cerca, como por ejemplo los pequeños cambios de coloración en la piel, no en todo el cuerpo, que en este caso son manchas de forma desigual. También puede darse un aumento de la actividad motora que se asocia con una irritabilidad que va en aumento o incluso una subida de la tensión cuando le sostenemos en brazos. A veces pueden producirse bostezos o incluso náuseas. Estos signos, sin ser tan definitorios como los mostrados anteriormente, sí nos están dando una pista de que el bebé puede estar empezando a sentirse fatigado o sobreexcitado.

✓ ¿Qué podemos hacer?

Siguiendo el modelo basado en la escala de evaluación del comportamiento neonatal de Brazelton, los siguientes signos externos son típicos de una situación de sobrecarga o sobreexcitación para el niño:

- CAMBIOS IMPORTANTES DEL COLOR DE LA PIEL. El cuerpo del bebé cambia de forma brusca de color, ya sea hacia un rojo intenso o hacia un color más cianótico (azulado).
- DIFICULTAD EN LA RESPIRACIÓN. Le resulta más difícil respirar o su respiración se hace más profunda y con pausas.
- ABUNDANCIA DE TEMBLORES Y SOBRESALTOS. Los temblores son como sacudidas muy rápidas que normalmente afectan a alguna de las extremidades (brazos o piernas) y suelen ser de corta duración y gran intensidad. Por otra parte, los sobresaltos son movimientos más amplios que implican a todo el cuerpo.

- SE PONE RÍGIDO O SE ARQUEA. Es fácil observar que cuando el niño se encuentra en una situación de sobrecarga y lo tenemos en brazos, su cuerpo se pone rígido e incluso se arquea hacia atrás. Otras veces realiza movimientos desorganizados con una actividad casi frenética.
- LLANTO INCONSOLABLE. Cuando el bebé entra en una situación de llanto que es imposible de calmar y además se acompaña de gran irritabilidad e inquietud, podemos estar también ante una señal de sobrecarga o sobreestimulación del niño.
- INACCESIBILIDAD. Esta situación se observa cuando el bebé rechaza la estimulación que le proponemos, ya sea retirando la mirada y haciendo imposible la interacción.

Estos signos descritos están relacionados con un estado elevado de sobrecarga en el niño y nos indican que la fuente de estimulación que se lo está provocando debe cesar de inmediato, ya sea una música, intentos de jugar con el bebé, el ruido de fondo de una conversación o el balanceo al sostenerlo en brazos. Lo mejor que podemos hacer en esta situación es cesar momentáneamente lo que estemos haciendo con el niño, darle unos minutos de descanso y retomerla un poco más tarde.

21 Aspectos a tener en cuenta sobre el llanto del bebé prematuro

PASAR POR la experiencia de tener un bebé prematuro supone una situación de estrés elevada. Normalmente estos niños pasan estancias más o menos prolongadas en las unidades de cuidados intensivos neonatales de los hospitales, y para los adultos esas experiencias relacionadas con la hospitalización de los bebés están a menudo teñidas de dolor, angustia e incertidumbre. Evidentemente, a medida que la severidad de la enfermedad del pequeño desciende, la situación de estrés también lo hace y con ello se van elevando las esperanzas y expectativas que se tienen puestas en el niño.

LAS CONSECUENCIAS

Durante la hospitalización del niño, a través de las visitas y de su contacto con el personal del hospital, tenemos la oportunidad de conocer al bebé a medida que van pasando las semanas hasta el momento en que podemos llevarlo a casa. Normalmente, en ese momento surgen muchas dudas e inseguridades, ya que desde el nacimiento el niño ha estado en manos de profesionales muy competentes y cualificados: podemos tener miedo de no poder atender adecuadamente sus necesidades.

Nos debemos fijar en cómo es el desarrollo del niño y cómo evoluciona durante las primeras semanas. Hay que tener en cuenta que los niños que nacen antes de las 34 semanas de gestación tienen que hacer frente a un mayor nivel de inmadurez, lo cual se puede observar en la actividad física y en las respuestas neurológicas. Durante las primeras semanas de vida sus ojos permanecen cerrados la mayor parte del tiempo; su llanto, en caso de haberlo, es muy débil, y los movimientos de su cuerpo y de sus miembros parecen pequeños arranques de actividad. Normalmente su postura es con el cuerpo extendido; logrará estar más flexionado a medida que se acerca a su edad a término. Su tono muscular es bajo, aunque a medida que aumenta su edad gestacional, éste aumenta también gradualmente.

✔ Sabías que...

La evolución y el pronóstico de cada niño varían según las semanas de gestación que haya alcanzado y el peso que tenga al nacer, así como la presencia o no de determinados factores de riesgo y las influencias genéticas.

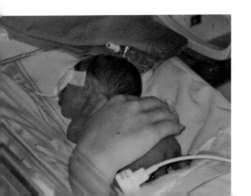

✓¿Qué podemos hacer?

Al haber permanecido largos periodos de tiempo hospitalizados, en el momento en el que se les da el alta, es importante valorar la influencia que ha tenido un entorno tan artificial en el desarrollo de la propia conducta del bebé. Es decir, entender cómo le ha influenciado el ambiente que hay en las unidades neonatales, teniendo en cuenta que estos bebés están sometidos a una manipulación a veces invasiva (pruebas, análisis…), a un nivel de ruido elevado provocado por las propias instalaciones y a la luz constante que hay en dichos lugares.

En el caso de un bebé prematuro su dificultad para organizar y modular estos ciclos de descanso, actividad y llanto va a ser mayor debido a su evidente inmadurez. Por eso nos puede resultar difícil identificar los diferentes estados de conciencia, ya que la mayor parte del tiempo el bebé puede permanecer en un estado poco diferenciado que en ocasiones es de somnolencia y otras de sueño activo, siendo menos frecuentes los estados de sueño profundo y de alerta quieta.

La inmadurez de un prematuro dificulta su descanso.

En cuanto al llanto, es probable que al principio no aparezca de forma clara y no sea vigoroso. Sí es habitual un estado de inquietud o alerta activa con presencia de leves quejidos y actividad motora, pero que no llega a ser claramente una situación de llanto. Por ello los adultos debemos estar muy atentos, sobre todo al principio, a las pequeñas señales que puede enviar el bebé y que indiquen malestar o incomodidad.

Los bebés prematuros pasan por una fuerte situación de estrés.

■ En general, los prematuros tienen más posibilidades que otros recién nacidos de sentirse sobrecargados o sobreestimulados porque, debido a su inmadurez, sus momentos de alerta quieta, durante los cuales pueden captar los estímulos y responder a ellos, al principio son escasos. Por otro lado, su adaptación a los estados de sueño también suele ser menor que en otros bebés.

22 ¿Qué consejos ayudan a prevenir y manejar el llanto del bebé prematuro?

UNA DE LAS primeras ideas en las que conviene insistir es la de favorecer un ambiente «protector» para el bebé durante sus primeras semanas. Un ambiente protector es aquel en el que no hay demasiados ruidos, ni demasiadas luces, es decir, que los estímulos no sean muy fuertes. Como el bebé ha estado sometido durante su hospitalización a estímulos constantes de ruido y luz, al principio no reconoce la oscuridad ni el silencio, puesto que en pocas ocasiones ha tenido la oportunidad de experimentarlo. Es por ello que poco a poco vamos a tener que ir creando ese ambiente tranquilo y protector que va a favorecer el sueño profundo que tanto le conviene.

Podemos observar que en los primeros días el silencio total o la oscuridad completa desconciertan al bebé e incluso le ponen inquieto o llega a llorar; esto es normal debido a lo que hemos comentado sobre las unidades de cuidados intensivos, de ahí que sea conveniente ir acostumbrando al bebé en estos primeros días a dormir cada vez con un poco menos de luz y a un ambiente en el que el silencio también esté presente (lo podemos ir haciendo de forma progresiva, dando tiempo al niño a que se vaya acostumbrando). Esto es muy importante para el bebé, ya que le va a ayudar a organizar mejor sus ciclos de sueño/vigilia, es decir, de actividad y descanso, de tal manera que en los momentos de sueño la luz sea más tenue, haya menos ruido y, en general, el ambiente esté más tranquilo; mientras que en los momentos de vigilia, es decir, cuando el niño está despierto, se deben oír voces, puede haber más luz o hay que cogerlo en brazos. Para crear un ambiente tranquilo y sin grandes cambios durante estos primeros días, puede servir de gran ayuda favorecer la presencia de un sueño profundo que irá aumentando a medida que pase el tiempo y que ayude al niño a ir cada vez organizando mejor sus diferentes estados de sueño y vigilia. En los capítulos dedicados al llanto y el sueño del niño, se aporta más información sobre estos estados.

En esta misma línea podemos sugerir que se intente establecer un ritmo de rutinas cotidianas, como las comidas, el sueño y el baño, bastante estables y organizadas, es decir, que sean a la misma hora y en las mismas condiciones y, a ser posible, realizadas por las mismas personas, para que de esta

✔ Sabías que...

En los primeros momentos de vida del bebé, debemos estar muy atentos a sus «quejidos» y muestras de inquietud, y no sólo cuando se pone a llorar de forma fuerte, porque nos podemos encontrar con que a veces demuestra su malestar con pequeños episodios de llanto no muy elevado, un fuerte movimiento de brazos y piernas, y un desasosiego general. A medida que va pasando el tiempo, su llanto se irá haciendo más vigoroso y, por tanto, sus demandas serán más claras y evidentes para sus padres, que ya serán capaces de distinguir los tipos de llanto.

forma el niño sea capaz de ir anticipándose a lo que va a pasar.

Es muy importante durante las primeras semanas observar lo que anteriormente hemos comentado en el apartado que hacía referencia a los signos de estrés, como pueden ser los cambios importantes de color de la piel, dificultades en la respiración, la presencia de temblores y sobresaltos, o ponerse muy rígido; estos signos nos indican que el niño está muy nervioso y sería conveniente que cesara el estímulo que se lo provoca. Esto es importante tenerlo en cuenta con cualquier bebé, pero lo es especialmente en el caso de los niños prematuros que han estado un tiempo hospitalizados, ya que ellos se pueden mostrar más frágiles y es posible que tengan mayores dificultades para organizar su conducta en función de los estímulos ambientales.

En estos momentos en los que surge el llanto con más o menos intensidad y el niño se siente alterado, podemos poner en marcha los pasos que ya se han explicado para calmar al bebé, es decir, debemos intentar varias formas de consolarle antes de cogerle en brazos e incluso favorecer que pueda utilizar su propia mano para consolarse.

Durante las primeras semanas de vida fuera de la madre una de las cosas más importantes que podemos hacer es la de convertirnos en muy buenos observadores de los diferentes estados de actividad y descanso por los que va pasando el bebé. Debemos ir siendo cada vez más expertos en detectar cuándo se va a quedar dormido, cuándo parece que se va a poner a llorar o cuándo sólo se trata de un pequeño malestar, cuándo tiene hambre, cuándo se está quedando somnoliento o cuándo tiene ganas de que le hablen y jueguen con él.

✓ ¿Qué podemos hacer?

Los prematuros pueden sufrir diversas complicaciones en un porcentaje superior al de los bebés nacidos cuando la gestación ha llegado a término. Algunas de estas complicaciones son: anemia, displasia broncopulmonar, infecciones, hemorragia intracraneal, hipoglucemia y pérdida de visión.

Cuando un bebé prematuro ya está en su hogar, después de haber pasado unas semanas en la incubadora, se le aplicarán los cuidados habituales que a los otros bebés, aunque vigilando mucho las cantidades de alimento que ingiere y contralando su aumento de peso.

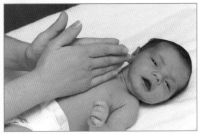

En cuanto a los masajes, hay que tener en cuenta que la piel de los prematuros, además de presentar muchas arrugas, es muy fina y delgada. Por ello, el masaje no debe ser como el aplicado a otros bebés, sino que simplemente nos limitemos a darle unas suaves y delicadas caricias con las yemas de los dedos; bajo ningún concepto se realizará presión alguna en su cuerpo, incluso aunque nos parezca que es muy leve.

Los aspectos emocionales y cognitivos

¿Qué podemos hacer?

El bebé comunica sus sensaciones más profundas a través del llanto, puede llorar tanto por rabia como por frustración y a veces el lloro sólo es síntoma de miedo ante una situación nueva e inquietante

23 ¿Tiene relación el lloro con el espacio físico o temporal que necesita el bebé?

LAS CAUSAS

Un niño es tan especial que «nos gustaría pasar todo el tiempo del mundo con él»; como esto no es factible, al menos sí podemos disfrutar juntos todos los momentos posibles, mirándole, hablándole, jugando con él, compartiendo experiencias... Esto es muy importante tanto para él como para nosotros. A lo largo del día existen múltiples momentos que podemos aprovechar para relacionarnos e interactuar con el niño. En el caso de que nuestra vida nos obligue en ocasiones a pasar gran parte del día sin él, también podemos dedicarle excelentes momentos durante el poco tiempo del que disponemos.

LAS CONSECUENCIAS

No podemos olvidar que el niño, además de los juegos y nuestros cuidados, también necesita momentos de descanso y tranquilidad en los que es necesario que esté solo en su cuna, cuando es un bebé, y en su cama, cuando sea un poco más mayor. Cuando es pequeño, el niño necesita muchas horas de sueño y descanso para su adecuado desarrollo. Conviene que la mayor parte del tiempo dedicado al descanso lo pase en un espacio propio. En cualquier caso, debemos procurar crear una zona de protección, segura y adecuada a las necesidades del niño, y para ello debemos considerar varios aspectos.

El niño necesita dormir solo, en su propio espacio. Esta separación de los padres es necesaria y no implica un abandono: se trata de una separación física, no emocional. El hecho de que el niño duerma solo debemos procurarlo desde el primer momento. El que no duerma acompañado no implica que en algunas ocasiones no pueda estar y disfrutar con otras personas (hermanos, padres, cuidado-

✓ Sabías que...

A los niños les supone mucho esfuerzo pasar de situaciones que le requieren gran actividad a otras más tranquilas y sosegadas. Al final del día, suelen estar cansados por todas las experiencias que han acumulado, pero no están dispuestos a dejar la actividad. Anticiparles que el momento de descanso se aproxima es útil para que poco a poco disminuyan el ritmo y entiendan que cuando terminen, por ejemplo después de mirar su libro, tienen que dormirse. Es importante que cuando ese momento llegue nos mantengamos firmes en la decisión y comencemos a crear un ambiente silencioso, tranquilo, le acompañemos, le cantemos una canción o le contemos un cuento.

res…), pero esto formará parte de los momentos de relación, interacción y juego. Porque para dormir necesita un espacio reservado. En ocasiones, el niño no querrá ocupar su espacio para dormir porque prefiere sentir más cerca la presencia de otros y entonces llorará cuando llegue el momento de separarse. También es posible que se despierte entre dos fases de sueño y en esos momentos requiera nuestra presencia. Aprender a dormir solo es todo un proceso; en esta situación podemos acompañarle con la voz mientras está en su cuna, le cantaremos nanas, le hablaremos y le acariciaremos hasta que se quede dormido.

√ ¿Qué podemos hacer?

Debemos preparar el entorno diario de la manera adecuada para que el se sienta cómodo:

■ ESPACIO DE DESCANSO. Es muy importante que el niño disponga de un espacio en el que pueda descansar sin ser molestado, destinado exclusivamente a este uso y donde se eviten interferencias o interrupciones que dificulten su reposo.

■ TEMPERATURA. El lugar de descanso debe tener una temperatura adecuada y la ropa que pongamos al niño debe estar acorde con esta temperatura.

■ CONTRASTES DE COLOR. En el espacio destinado para su descanso y en los momentos previos al sueño intentaremos evitar que se vea estimulado por luces intensas o colores demasiado vivos que impiden que esté tranquilo y relajado. Bastará con apagar la luz de la habitación o atenuar su intensidad y así lograr un ambiente más propicio para el sueño.

■ MUÑECOS DE PELUCHE. Son objetos que suelen tranquilizar a los niños cuando van a dormir, pues su tacto suave y esponjoso genera sensaciones de seguridad y bienestar. En ocasiones, cuando son muy pequeños, prefieren el contacto de la sábana antes que un muñeco; conforme van creciendo, los niños suelen mostrar una preferencia especial por un único muñeco.

24 ¿Pueden ser la soledad o el miedo a las personas extrañas para él las causas del llanto?

LAS CAUSAS

Podemos observar que en torno a los cinco meses de vida, el bebé demanda persistentemente la presencia y la atención de los adultos. El niño a esta edad se mostrará perseverante en cuanto a nuestra presencia, pidiéndonos que estemos junto a él la mayor parte del tiempo; en este momento evolutivo protestará considerablemente, llegando a llorar y emitir lamentos si nos alejamos de él.

Además, se producirá un cambio muy importante en la conducta del bebé: ahora ya no responderá indiscriminadamente con una sonrisa a los adultos que se acerquen a él y le presten atención, sino que mostrará una evidente preferencia por sus más allegados frente a los desconocidos, evitando establecer relación con las personas que le resultan extrañas. Entre el quinto y el octavo mes, la capacidad perceptiva está muy desarrollada y es cuando

el niño está capacitado para poder distinguir fácil y rápidamente entre una persona conocida y un extraño, reaccionando con muestras de recelo, retraimiento o llanto cuando algún desconocido se acerca a él. Aunque la actitud del extraño ante el niño sea amistosa, éste reaccionará con miedo en una gran amplitud de respuestas posibles que van desde volver la cara y apartarse del campo visual del extraño, hasta comenzar a llorar. Estas reacciones varían de unos niños a otros y son más acusadas en el octavo mes y los posteriores; según van creciendo, lo desconocido es en ocasiones una causa de miedo y alarma.

LAS CONSECUENCIAS

Las reacciones de miedo ante los extraños varían conforme se producen las condiciones ambientales y personales a las que el bebé se enfrenta. J. Bowlby expone en sus libros y trabajos de investigación que tanto la intensidad como la manifestación de las respuestas dependen de determinados aspectos:

- La distancia a la que el desconocido se sitúa en relación con el bebé. El pequeño tiene una mayor reacción cuanto más cerca estén situados uno respecto al otro.
- El movimiento de aproximación o alejamiento del bebé, mostrando disconformidad cuando el desconocido se acerca.
- El ambiente en el que se encuentra el niño, ya que si es familiar tolerará mejor la presencia del desconocido que si es un contexto extraño.
- Las condiciones fisiológicas del bebé, pues si se encuentra fatigado responderá de forma más irritable que cuando está descansado.
- La distancia a la que se sitúa la persona que lo cuida, porque si el niño siente dicha presencia, se sentirá más seguro para aceptar a un desconocido; si se encuentra más lejos o incluso no está presente, manifestará una mayor reacción de disconformidad.

El bebé se asustará al entrar en contacto con desconocidos, especialmente si quien se hace cargo de él no se encuentra presente o se sitúa a más de un metro de distancia, y si está en un contexto nuevo, expresando desagrado incluso con el llanto. Esta reacción ante los extraños nos indica que lo desconocido le produce temor e inseguridad. En torno a los ocho meses, representamos para el niño una base segura desde la cual puede explorar el mundo con tranquilidad y confianza.

✓¿Qué podemos hacer?

Para ayudar al niño a superar sus miedos, podemos utilizar algunas situaciones lúdicas y estimulantes, como puede ser jugar a esconderse o perseguirse, que además genera un espacio de interacción muy divertido. Durante este juego, el niño se encuentra en un momento estimulante, seguro y reconfortante, en el cual se producen una separación y un reencuentro muy rápidos, siendo capaz él mismo de anticiparse a la reaparición de la otra persona en su campo visual.

25 El llanto y el miedo

EXPLORAR y conocer el mundo enfrenta al niño a situaciones nuevas y desconocidas. La adquisición de experiencias puede generar múltiples satisfacciones, pero también puede provocar incertidumbre e incluso es una fuente de inquietantes amenazas.

LAS CAUSAS

A un niño el mundo le resulta poco comprensible en múltiples ocasiones y esto puede suponer que se sienta inseguro, llegando a producirse episodios de llanto. Estas situaciones, miradas desde la perspectiva de un adulto, a veces pueden parecernos excesivas, pero desde la perspectiva de un niño son normales. Los adultos nos ponemos en el lugar del niño para intentar comprender aportándole seguridad. El miedo es uno de los mecanismos rápidos de adaptación al medio con los que contamos las personas; se desencadena de forma automática, provocando una respuesta inmediata cuando aparece algún estímulo. El miedo alerta y protege de un peligro, es una reacción de defensa del niño ante lo que considera una amenaza interior o exterior. Al tratarse de un mecanismo de adaptación, según aumente su experiencia y el control ante determinadas situaciones, el miedo irá minimizándose e incluso llegará a desaparecer.

Sabías que...

Tampoco podemos olvidar que el miedo puede ser causado por imitación de acciones de los adultos: así si el niño percibe que reaccionamos de forma exagerada ante una amenaza, ellos se sentirán inseguros ante la misma situación y además aprenderán a reaccionar de forma exagerada ante sus propias amenazas.

LAS CONSECUENCIAS

Situaciones que provocan en el niño miedo y llanto pueden surgir desde los primeros meses de vida y la reacción es desencadenada por estímulos diferentes, dependiendo del momento evolutivo:

- EN LOS BEBÉS: en la lactancia se asustan ante un fuerte ruido o por la pérdida de un apoyo seguro y firme.
- EN BEBÉS DE OCHO MESES: se asustan cuando se encuentran ante un extraño.
- EN LOS NIÑOS DE DOS AÑOS: se pueden asustar por determinados sueños; en este momento es cuando surgen las pesadillas nocturnas.

• EN LOS NIÑOS DE TRES AÑOS: se pueden asustar en los espacios que estén oscuros; es cuando aparece el miedo a la oscuridad, que le acompañará durante parte de su primera infancia.

En los dos primeros años de vida, los niños aún no comunican ni expresan sus sentimientos de forma verbal, pero captan la información no verbal procedente de las personas de su entorno más próximo. A los tres años podemos intentar poner palabras a la emoción y ayudar a que el niño aprenda a hacerlo. El miedo es una emoción natural y es especialmente frecuente en el pequeño a partir de los tres años.

Cuando el niño es capaz de expresar sus sentimientos de miedo, es más fácil que pueda controlarlos. Además, si nosotros nos mostramos seguros y le explicamos las razones por las cuales no debe sentir miedo en una situación determinada, le ayudará a reinterpretar el suceso. Por ello, según vaya adquiriendo mayores competencias comunicativas, le será más fácil expresar su emoción y comprender nuestras respuestas ante el miedo.

√ ¿Qué podemos hacer?

Algunos juegos, como el escondite, ayudan a emular situaciones estresantes que producen miedo en el niño, como puede ser la separación o una situación de amenaza. Fijándonos en las reacciones, gestos o expresiones del niño, podremos discernir si se encuentra ante un momento estresante que le provoca miedo. Es importante que observemos al niño en aquellas  situaciones que sepamos que le desbordan y aprendamos a reconocer cuáles son los signos que muestra en estos casos. Así, cuando ponga las mismas expresiones, podemos suponer que tiene miedo y le ayudaremos a expresarlo.

■ Un modo de ayudarle a superar el miedo es anticiparle lo que va a ocurrir antes de que se enfrente a una situación que pueda producirle temor y no forzarle a sufrir innecesariamente situaciones que le causan miedo (por ejemplo, a algunos niños les asustan los Reyes Magos, los fuegos artificiales o los gigantes y cabezudos, etc.).

26 ¿El llanto es siempre un síntoma negativo?

EL LLANTO acompaña al ser humano en el transcurso de toda su vida. En cada momento evolutivo y en cada contexto concreto presenta significados diferentes. Así, en el ser humano adulto es normalmente una forma de expresar una emoción intensa relacionada con la tristeza, la ira, el miedo e incluso un síntoma de alegría. Los adultos lloramos ante situaciones de gran tristeza, como puede ser la pérdida o la separación de un ser querido, ante circunstancias que nos producen enfado, como una injusticia profesional o personal, y ante sucesos que nos hacen especialmente felices, como puede ser un reencuentro esperado desde hacía mucho tiempo.

Los niños también lloran cuando sienten emociones similares, pero con un umbral más bajo, por lo que expresan antes su pesar, enfado, temor o alegría. Es muy habitual que los adultos nos asombremos ante un niño que está llorando por una causa que a nosotros nos puede parecer totalmente intrascendente. Sin embargo, para ellos en su momento vital puede tener una gran importancia; por eso somos los adultos los que recordamos pequeños hechos o sucesos en nuestra vida infantil, que a veces tenemos presentes.

Durante los primeros meses de vida los bebés carecen de un lenguaje verbal que les sirva para expresar sus necesidades y sensaciones, por eso en este momento el llanto se convierte en una de las pocas formas de comunicación que tiene.

✓ Sabías que...

El llanto en el niño es una reacción normal que puede desencadenarse ante las diversas situaciones que ya hemos visto. Puede producirse y ser interpretado como comunicación o como síntoma de que está sufriendo una emoción intensa, tenga una u otra interpretación, lo que supone que es algo normal y natural en los niños y que, independientemente de la causa que lo motive, él necesita nuestra atención.

✓¿Qué podemos hacer?

Tampoco debemos olvidar que cada niño es un ser único e irrepetible con características propias que incluso a edades muy tempranas comienza a mostrar ciertos rasgos propios de su temperamento. Así, hay niños más tranquilos, algunos se muestran más activos y otros manifiestan unas respuestas más variables. Es importante que intentemos ajustarnos a las características del niño para darle una repuesta adecuada a sus necesidades.

- El llanto de un niño nunca nos puede dejar indiferentes porque los adultos lo debemos interpretar como una señal de alarma: se produce cuando algo le pasa al niño y tenemos que actuar en consecuencia.

- Es normal que en ocasiones, cuando nos enfrentamos a un llanto intenso y de larga duración, podamos sentirnos desbordados, pero sabemos que lo importante es tratar de determinar la

Llorar ante sucesos intrascendentes a nuestros ojos no debe provocarnos indiferencia.

causa y proporcionar una respuesta adecuada a las necesidades del pequeño, tratando de conservar en todo momento la calma. Ante todo, los adultos que cuidan a un niño no deben ponerse excesivamente nerviosos ante su llanto.

- A veces son los sentimientos que despierta en nosotros el llanto lo que nos hace verlo como algo negativo, pero ya hemos comentado que el llanto es parte del proceso natural del crecimiento y desarrollo. Aún así, si consideramos que los episodios de llanto son continuados o muy intensos, debemos consultarlo con el pediatra.

27 El llanto y el chupete

EL USO del chupete es natural, ya que se basa en el instinto de succión (apreciable incluso ver en las ecografías del feto). El chupete puede acabar siendo el juguete preferido del bebé porque le ofrece seguridad y le ayuda a calmarse solo.

LAS CAUSAS

Los adultos suelen recurrir al chupete para calmar el llanto del bebé; aunque puede ser efectivo en muchas ocasiones, ya hemos visto en otros capítulos que ésta no es la única estrategia que podemos utilizar. Es recomendable hacer un uso adecuado en cada momento. El chupete, como otros objetos, ofrece al niño seguridad a nivel emocional, pero nunca va a sustituir a las personas de referencia para él.

LAS CONSECUENCIAS

Es conveniente vigilar el tiempo y la frecuencia con la que se usa el chupete. El uso prolongado del chupete tiene muchos riesgos, ya que puede provocar deformidades en el arco dentario, puede también verse alterada la mandíbula y la formación del paladar y los maxilares, así como afectar al correcto crecimiento de los dientes. Uno de los problemas más frecuentes que presentan los niños asociado al uso del chupete es el desplazamiento de los dientes, de tal manera que los superiores salgan hacia delante y los inferiores hacia dentro, creando problemas al morder. Teniendo esto en cuenta, y dependiendo del tiempo y la frecuencia en el uso del chupete, en algunos niños pueden aparecer más tarde problemas en el lenguaje. Estos riesgos que hemos comentado relacionados con el uso del chupete también se pueden aplicar al uso prolongado del biberón en niños mayores que ya pueden masticar. Una situación parecida se produce cuando, en vez del chupete, el niño utiliza el dedo para calmarse; en este caso el problema es más grave porque, como el dedo es más duro, su capacidad de deformación es aún mayor.

✓ Sabías que...

El momento adecuado para utilizar el chupete es en el primer año; luego se puede ir controlando la frecuencia de su uso. Es absolutamente necesario dejar el chupete cuando al niño ya le han salido todos los dientes y el instinto de succión ya no es tan importante.

✓ ¿Qué podemos hacer?

Se pueden tener en cuenta algunas recomendaciones en cuanto al uso del chupete; en primer lugar, conseguir un chupete que sea anatómico, para que no se deforme el paladar, y tenga el tamaño adecuado a la edad del niño. Por otra parte, no se recomienda utilizarlo en las primeras semanas de vida, ya que puede interferir en ocasiones con la lactancia materna. Y por supuesto, no es adecuado untar el chupete en productos dulces, como puede ser miel o azúcar, por el riesgo de caries que supone para el niño. El proceso de dejar el chupete podrá resultar más o menos costoso. Para ayudar al niño a superar esta situación, los adultos podemos desarrollar diversas estrategias; desde aquí ofrecemos algunas medidas que pueden resultar muy útiles:

- Lo primero que podemos hacer es ir controlando los momentos y la frecuencia con que usa el chupete, para después ir poco a poco reduciendo la necesidad de usarlo o de chuparse el dedo. Antes de retirarlo definitivamente, se debe acostumbrar a utilizarlo sólo en aquellas ocasiones en las que hayamos observado que el niño más lo necesite, como al irse a la cama o al llegar a un sitio nuevo.

- Durante este proceso es conveniente que le prestemos atención en las situaciones en las que hayamos observado que se chupa el dedo o que usa el chupete; normalmente suelen ser situaciones en las que el niño necesita seguridad. Nuestro objetivo es ir consiguiendo que se sienta seguro sin tener que usarlos.

- Finalmente, podemos idear un ritual que escenifique que el niño se despide de su chupete. Para que este ritual tenga sentido, el pequeño debe entender lo que se va a hacer, aceptarlo y participar en dicho proceso.

28 ¿La música ayuda a calmar?

TODOS NOS hemos sentido melancólicos al escuchar una canción romántica, relajados al escuchar determinados sonidos y también animados y felices cuando hemos oído una pieza musical alegre y con mucho ritmo. La música tiene la capacidad de regular nuestros estados de ánimo.

La música también se puede utilizar con los bebés y los niños pequeños. Existe música compuesta especialmente para favorecer la relajación que puede ayudar a calmar al bebé, música para ayudar a conciliar el sueño, incluso hay música pensada para escuchar durante el embarazo porque favorece la estimulación prenatal. Aparte de usar estos recursos, los adultos siempre tenemos a nuestra disposición nuestra propia voz, que ha sido el primer instrumento utilizado por el hombre.

Así, podemos animarnos a cantar al niño canciones de cuna que hayamos oído en nuestra familia, canciones infantiles que recordemos o simplemente tararear melodías que nos resulten agradables; lo importante no es el sentido musical de cada uno, sino la emoción que trasmitimos con ella.

Dentro de los estudios realizados sobre la influencia de la música en los niños, destaca el llevado a cabo en la Universidad de California a principios de los noventa del siglo XX con la música de Mozart. De ellos se desprende que la música de Mozart parece estimular aquellas partes del cerebro relacionadas con el hemisferio derecho, el cual afecta a las funciones espaciotemporales. Estos efectos están relacionados con los ritmos, melodías y frecuencias altas que presenta parte de la música de Mozart, así como la utilización de sonidos puros y simples en sus composiciones.

✓ Sabías que...

Según algunos estudios, los recién nacidos pueden reconocer melodías que han escuchado repetidas veces durante el embarazo (los bebés respondían manteniéndose quietos, con los ojos abiertos y orientándose hacia el lugar del que provenía el sonido). También parece haberse comprobado a través de las investigaciones que, cuando el bebé todavía está dentro del vientre de su madre, prefiere la música armoniosa y, en cambio, puede sentirse molesto por la presencia de músicas donde los sonidos bajos sean muy fuertes.

✓ ¿Qué podemos hacer?

Podemos experimentar y observar cómo responde el niño a diferentes tipos de música, ver cuál es su reacción, si prefiere un tipo de música u otro y, sobre todo, convertir estos momentos en un juego de interacción donde participen y disfruten tanto el niño como el adulto.

En las guarderías se aplican los principios de la musicoterapia.

- La música también se utiliza con fines terapéuticos (de ello se ocupa la musicoterapia, que ayuda a asistir a la persona en sus necesidades psíquicas, físicas, sociales y cognitivas). Los objetivos generales se centran en facilitar y promover la comunicación, el aprendizaje, la expresión, la movilización y la integración social. Se parte de la utilización de la música y de sus elementos: ritmo, armonía, melodía y tono en diferentes combinaciones, según los aspectos de la persona que se quieran trabajar. Por ejemplo, con niños se ha aplicado musicoterapia para mejorar la autoestima, la atención, la coordinación y el aprendizaje. Actualmente en algunos centros de educación infantil se utilizan los principios de la musicoterapia para trabajar con niños desde edades muy tempranas, ya sea dentro de la dinámica habitual del aula o a través de sesiones especialmente destinadas a este fin.

- Puede resultar muy gratificante, tanto para el niño como para los padres y cuidadores, utilizar el lenguaje de la música como otro recurso con el que comunicarse y reservar un momento del día para cantar y escuchar música con el pequeño. Durante los primeros meses podemos intentarlo con canciones suaves y relajadas, como las canciones de cuna, que pueden ayudar al bebé a relajarse y a volverse a dormir, y cuando ya es más mayor, podemos jugar con él utilizando canciones infantiles que incluyan gestos o movimientos que el pequeño va a ir aprendiendo por imitación. Lo importante en estas situaciones no es tanto la maestría con la que se ejecuten las canciones y los movimientos que la acompañan, como el intercambio entre el niño y el adulto y la posibilidad de disfrutar juntos de la música. El interés por la música es algo que podemos fomentar y motivar en el niño, ya que es un lenguaje que, aunque sea muy pequeño, el niño puede captar y disfrutar de él.

29 ¿El bebé llora por frustración o rabia ante actividades que todavía no puede realizar?

EL INTERÉS y la motivación por el mundo que rodea al bebé son las piezas fundamentales que desencadenan su aprendizaje. Las posibilidades mentales del niño, según su edad, harán que intente las diferentes cualidades motoras, de coordinación y de lenguaje. Sin embargo, cada nuevo reto que se le proponga, casi de manera inconsciente, supondrá una lucha y esfuerzo hasta alcanzarlo; y también hay que tener en cuenta que este esfuerzo puede generar en muchas ocasiones una gran sensación de frustración en el pequeño.

• DE CERO A TRES MESES

Hasta los tres meses el bebé no puede yacer estable y sin moverse ni boca arriba ni boca abajo. Todos los movimientos que observamos no son voluntarios, por lo que no tiene sentido ponerle objetos en las manos, ya que únicamente quedarán atrapados debido al reflejo de prensión palmar que no debemos confundir con una verdadera prensión. A los tres meses será capaz de seguir con la mirada los juguetes que le enseñamos con toda la rotación de la cabeza, aunque preferirá las caras humanas.

• DE TRES A SEIS MESES

A los cinco meses intentará tocar con las manos los juguetes situados a su lado tanto boca arriba como boca abajo y siempre con la misma mano del lado donde está el objeto. Será capaz de dirigir la mano hacia los objetos de forma voluntaria y sin desequilibrarse cuando está boca arriba o

✓ Sabías que...

Además del juego y la estimulación específica para cada edad, el masaje infantil puede servirnos para estimular de forma indirecta las habilidades del niño, ya que aprenderá a conocer su cuerpo de manera práctica y a través de las sensaciones. Como se desarrolla en este libro, además de evitar el lloro por las posibles dificultades que se le presentan, el masaje puede ayudar a disminuir el llanto por sus cualidades intrínsecas.

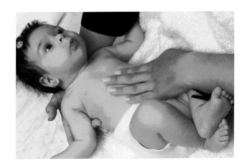

boca abajo. También comenzará a tocarse los muslos. A los seis meses podrá coger por sí mismo los juguetes pequeños colocados en su espacio. Hasta este momento sólo los agarraba si los colocábamos nosotros en su palma y aparecía el reflejo de la prensión palmar. También un mes antes ya habrá comenzado a dirigir la mano hacia los juguetes en intentos frustrados por coger las cosas. Por tanto, esta es la edad adecuada para ofrecerle pequeños juguetes, puesto que ahora ya será capaz incluso de explorarlos y pasarlos de una mano a la otra. Además habrá aprendido a desplazarse, mediante volteos desde boca arriba hacia boca abajo, cogiendo así los objetos más alejados. Girará la cabeza hacia la persona que le habla y utilizará gritos para comunicarse, según su estado de ánimo, usando hasta cuatro sonidos diferentes al final de este periodo.

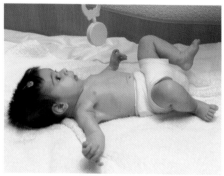

• De seis a nueve meses

Durante este trimestre se desarrollará el comienzo de la motricidad fina, diferenciándose el dedo índice del resto durante la prensión. Las posturas nuevas para las que estará capacitado serán: ponerse a cuatro patas, gatear lentamente e incluso aprender a voltearse desde boca abajo a boca arriba. Será capaz de buscar los objetos que desaparecen, cuando las cosas se caen o jugando con un adulto. Le gustará tirar los objetos, por lo que no debemos regañarle u obligarle a mantenerlos, ya que será su manera de explorar lo que les ocurre. Emitirá sílabas repetidas («ma-ma-ma-ma») y comprenderá algunas palabras, entre ellas «no». Será capaz de sujetar solo su biberón y beber de un vaso si se lo sujetamos nosotros.

• De nueve a doce meses

Por primera vez ha llegado el momento de que el bebé se siente. Antes podía mantener la posición si nosotros le colocábamos, pero ahora llegará por sí solo desde el gateo y con la columna vertebral sin riesgo de desviación porque está correctamente erguida. El gateo será cada vez más veloz y coordinado, hasta que dentro de estos meses consiga ponerse de pie agarrándose a un mueble. Esta puesta en pie desembocará en sus primeros pasos alrededor del año de vida, pero no debemos confundirlos con andar correctamente.

Con respecto al lenguaje, comenzará a utilizar palabras de dos sílabas y dirá «no» con la cabeza.

• EL SEGUNDO AÑO DE VIDA

Entre los 12 y los 14 meses el niño comenzará a caminar solo, mejorando cada vez más su estabilidad y siendo cada vez más independiente. En este momento de su vida es cuando aprenderá a garabatear, identificará progresivamente cada vez mejor los objetos familiares con su nombre y señalará con el dedo los que le interesen. También comenzará a entender y ejecutar órdenes sencillas, sobre todo relacionadas con las actividades cotidianas, como el vestido, la alimentación o el juego. Sabe distinguir el sí del no, aunque no siempre haga caso de lo que le dicen los adultos que le cuidan. Sentirá curiosidad por todo lo que le rodea, por lo que el cuidado será máximo para evitar que se lleve a la boca objetos demasiado pequeños que se puede tragar.

✓ ¿Qué podemos hacer?

Si conocemos cómo jugar de forma adecuada, el niño será más feliz. A continuación se muestran en líneas generales los principales hitos de desarrollo de los bebés en función de su edad, que debemos tomar siempre de forma orientativa, evitando así que el niño llore por la constante frustración o excesiva exigencia.

■ Es importante conocer las etapas del desarrollo básico del niño para no exigirle cosas muy difíciles cuando juguemos con él. Eso no quiere decir que no podamos estimularle hasta que las consiga, pero siempre siendo conscientes de lo que puede o no puede hacer en función de su madurez cerebral. No por estimular mucho al bebé, conseguiremos acelerar un proceso que está marcado de forma genética.

■ Si siempre le proponemos juegos muy complicados para él, se desmotivará en exceso. Pero sí será importante la calidad del juego, porque los estímulos externos tienen una influencia muy importante sobre el desarrollo correcto de este proceso de crecimiento.

Durante las horas de sueño

¿Qué podemos hacer?

Durante las horas de sueño pueden aparecer las temibles pesadillas, una constante en el universo infantil que preocupa y estresa a los educadores. Para conocer la forma de actuación ante estas conductas anómalas, sólo es necesario observar la rutina infantil

30 ¿Cuáles son los ciclos normales de sueño, vigilia y llanto del bebé?

DESDE EL momento del nacimiento, el niño nos envía señales que nos van a ayudar a interpretar cuáles son sus necesidades y demandas y, poco a poco, los adultos vamos a ir entendiendo este lenguaje compuesto de movimientos, miradas, sonrisas, vocalizaciones y gestos, en el que el llanto va a tener un significado especial. Cuando se trata de un recién nacido, puede resultarnos más difícil entender estas señales, pero con el tiempo las aprenderemos. Siguiendo la definición que hicieron Brazelton y Nugent en 1997, los estados de conciencia se pueden describir de la siguiente manera:

✓ Sabías que...

Probablemente la observación de los estados de conciencia es uno de los conceptos que más ha ayudado a comprender el comportamiento del recién nacido. Primero Wolff y después Prechtl, describieron los estados de conciencia del recién nacido, considerándolos como una constelación de comportamientos que tienden a ocurrir de forma conjunta y que pueden ser observados e identificados.

- SUEÑO PROFUNDO. Se caracteriza por la presencia de una respiración regular, ojos cerrados, sin movimientos espontáneos, y en el que no hay movimiento de los ojos debajo de los párpados. Es un estado fácil de identificar porque el niño se muestra tranquilo y profundamente dormido, con una gran sensación de relax.

- SUEÑO LIGERO. Este estado de sueño se diferencia del anterior en que los ojos siguen cerrados pero se aprecian movimientos rápidos bajo los párpados (pueden también aparecer algunos movimientos de brazos y piernas, pero serán siempre suaves y controlados). Por otra parte, la respiración que se presenta en este estado es más irregular y puede que realice movimientos de succión. Es importante distinguir este tipo de sueño del anterior porque, aunque el niño permanece dormido, es posible observar que se trata de un sueño más inquieto e irregular.

- SOMNOLIENTO. En este estado los ojos están entre abiertos y cerrados. Cuando el niño abre los ojos su mirada es apagada, el nivel de actividad que presenta en brazos y piernas es variable, pero siempre es más elevado que en el estado de sueño ligero, aunque sus movimientos siguen siendo suaves. Podemos considerar este estado como de transición entre el sueño y la vigilia, y lo identificamos observando las diferencias con los estados de sueño comentados anteriormente.

- ALERTA QUIETA. Este estado de vigilia se caracteriza por la presencia de una mirada brillante en el niño que parece dedicar toda su atención a lo que en ese momento le está proporcionando la estimulación (ya sea la voz de alguien, un sonajero o unas luces de colores). Cuando el niño se encuentra en este estado, su actividad motora en brazos y piernas es mínima, ya que podemos considerar que el niño está poniendo toda su energía en captar los estímulos que le están llegando del exterior.

- ALERTA ACTIVA. Este tipo de alerta es también uno de los estados de vigilia por los que pasa el niño, y se caracteriza por el hecho de que sus ojos están abiertos, hay una considerable actividad motora en brazos y piernas, puede sufrir sobresaltos y, con frecuencia, emite vocalizaciones en forma de leves quejidos. La impresión que nos puede dar el niño en esta situación es de cierta inquietud e intranquilidad; es como si estuviera dispuesto a ponerse a llorar, pero todavía no aparece el llanto de forma clara y evidente.

- LLANTO. Por último, nos encontramos en el estado de llanto, que es fácil de diferenciar del estado anterior porque aparte de los sollozos, aparece siempre acompañado de gran actividad motora de brazos y piernas.

✓¿Qué podemos hacer?

Para entender las señales que emite un recién nacido nos servirá la observación de sus ciclos de sueño, vigilia y llanto, es decir de cómo van pasando de un estado de conciencia a otro. Esta observación nos va a permitir distinguir los diferentes estados de descanso o sueño y de vigilia o actividad por  los que el niño va pasando y cómo, a medida que va madurando, puede ir modulando estos estados de forma coherente a sus necesidades y a las de su entorno.

Aprender a reconocer estos estados de conciencia y poder relacionarlos con determinadas conductas del bebé puede ayudarnos a los adultos a interpretar de forma más ajustada estas primeras señales que nos envía el niño y que tan difíciles de descodificar resultan al principio.

31 ¿Qué hacer durante el sueño y la vigilia para evitar el llanto?

EN EL apartado anterior hemos podido conocer cómo distinguir las diferentes formas de descansar, de estar alerta y de mostrar malestar e inquietud del niño. Y cada vez nos iremos haciendo más hábiles al determinar en qué estado se encuentra y, de esta manera, poco a poco podremos ir anticipando algunas de las respuestas del niño.

Estos estados de conciencia se van regulando, cada vez de forma más clara, y vamos viendo cómo el niño pasa de uno a otro. Normalmente no hay grandes saltos de un estado a otro, sino que el niño va hacia un mayor nivel de actividad o hacia un mayor nivel de descanso.

Para los adultos puede resultar difícil reconocer estos estados con claridad durante las primeras semanas. Especialmente importante nos parece distinguir cuándo el bebé está somnoliento (que es un estado que se puede considerar de transición entre el sueño y la vigilia) y cuándo se encuentra en alerta quieta (momento en el que realmente el niño puede iniciar sus primeros juegos de interacción con el adulto). A medida que pasan las semanas, la transición de un estado a otro puede llegar a ser predecible para los cuidadores del pequeño que, por ejemplo, aprenden con la observación que cuando el niño está somnoliento y le dejan tranquilo y sin ruido, él solo puede volver a un estado de sueño ligero en el que permanece durante un tiempo antes de despertarse otra vez. Además, irán aprendiendo a distinguir cuándo pasa de somnoliento a una alerta clara desde la que es casi imposible llevarlo a un estado de sueño, y lo que de verdad le interesa en ese momento es que le hablen, le cojan en brazos o le hagan juegos. Podemos aprovechar estos periodos del día en los que el niño esté despierto, que al principio son pocos, pero que irán en aumento en los meses siguientes, para jugar e interactuar

con él, ya que éste va a ser el mejor momento para ello. Hay que tener en cuenta que durante las primeras semanas para el bebé nuestra cara y nuestra voz suelen ser sus estímulos preferidos y prácticamente los únicos. Por ello, es conveniente realizar actividades como cantarle, hablarle despacio y siempre intentando que nuestra cara quede dentro de su campo de visión (podemos ir probando hasta que nos demos cuenta de cuál es la distancia más adecuada para que el niño se fije en nuestra cara). También podemos aproximar nuestro rostro para que él lo pueda tocar con sus manos, así como observar sus respuestas cuando le estamos hablando, cambiando el tono de la voz y sonriendo de una manera evidente.

✓ ¿Qué podemos hacer?

A medida que pasan las semanas y su capacidad para permanecer atento y en alerta aumenta, también podemos introducir juguetes de colores vivos que presenten contrastes, como sonajeros o muñecos de peluche. Debemos prestar atención a:

- Cuál es el tipo de sonido del sonajero que más le gusta o qué juguete le llama más la atención. Estos juegos de mirar las caras de los adultos, observar fijamente los objetos o intentar seguir con la mirada son actividades muy adecuadas para que pueda mejorar su atención y su seguimiento visual.

- En sus momentos de actividad podemos aprovechar para realizar cambios posturales, es decir, colocar al niño tumbado boca abajo (postura que para el sueño no conviene utilizar), para que consiga mejorar su habilidad y controle y levante su cabeza. Siguiendo esta misma idea, también es conveniente colocar al bebé contra nuestro hombro para que pueda «asomarse» y ver lo que hay al otro lado, y pasearnos por la casa; esta postura sobre el hombro también le va a ayudar a mejorar el control de la cabeza.

Entre los periodos de alerta y vigilia podemos jugar con él para evitar el llanto.

32 La dinámica del sueño nocturno

LAS CAUSAS Y LAS CONSECUENCIAS

Para los adultos puede resultar realmente angustioso despertarse por la noche por culpa del llanto de un bebé. Especialmente durante las primeras semanas, sus cuidadores van a tener que ajustar en gran medida sus ciclos de sueño y vigilia con los del pequeño, e ir abandonando la fantasía de que el niño iba a dormir toda la noche de un tirón.

Incluso dentro del vientre de la madre el bebé ha ido desarrollando ciclos de descanso y de actividad que se pueden observar a partir del quinto mes de embarazo. Cuando el niño nace, estos ciclos se tendrán que ajustar a los del adulto, pero esto precisará un tiempo de aprendizaje en el que tanto unos como otros se irán conociendo y ajustando en la medida de sus posibilidades. Durante el primer mes el niño duerme entre 20 y 21 horas al día (prácticamente el 80 por ciento del tiempo), pero a su vez los periodos en los que permanece dormido son cortos y pueden variar entre hora y media y tres horas. Evidentemente no podemos olvidar que cada niño es diferente y que algunos a las pocas semanas de vida pueden permanecer por la noche dormidos durante periodos más largos, mientras que otros siguen despertándose de forma constante varias veces durante la noche. Cada niño organizará estos ciclos teniendo en cuenta su propio ritmo y también las rutinas que se hayan ido estableciendo en su entorno.

A medida que madura, el pequeño organiza mejor sus estados y puede pasar de uno a otro con mayor facilidad y además sus momentos de sueño profundo aumentan. Por tanto, el niño tiene menos posibilidades de despertarse sobresaltado, inquieto y llorando, como cuando está en un sueño ligero.

Con los bebés prematuros, debemos tener en cuenta las condiciones especiales en las que han estado viviendo mientras permanecían hospitalizados, ya que durante los primeros días en que el niño haya

✓ Sabías que...

En los recién nacidos el desarrollo de unos patrones claros de sueño y vigilia es gradual. A partir del tercer mes de vida, estos periodos comienzan a ser más regulares, por lo que se puede dar la situación de que el niño duerma durante cinco horas o más durante la noche, y los adultos que están con él empiecen a tener la sensación de que han dormido toda la noche.

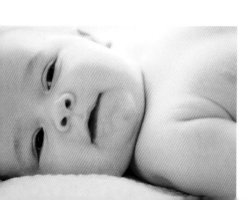

salido del hospital puede tener más dificultades en regular sus ciclos de sueño y vigilia. En estos pequeños, la presencia del estado de sueño profundo es menor y en cambio presentan periodos mayores de sueño ligero, por lo que tienen más posibilidades de despertarse llorando durante la noche.

✓ ¿Qué podemos hacer?

Es conveniente insistir en la importancia de observar al bebé para reconocer cuál es el estado de sueño que tiene, profundo o ligero, teniendo en cuenta que siguen durmiendo y que aunque es más fácil despertarse estando en un sueño ligero o activo, no quiere decir que el bebé ya esté despierto.

- A veces puede ocurrir que escuchando su respiración, pensemos que ya está despierto y, por ejemplo, le demos de comer cuando realmente todavía sigue dormido; si le hubiésemos dejado durante un rato más, él mismo podía haber vuelto a un sueño más profundo.

- Lo más adecuado es observar detenidamente y asegurarnos de que el niño está en un estado de alerta, o como mínimo somnoliento, antes de iniciar cualquier actividad con él.

- A medida que pasan los meses, sus ciclos de sueño y vigilia se ajustan en gran parte a los ciclos de los adultos. Alrededor a los seis meses de vida, el niño puede dormir unas 17 horas y cuando tiene un año, el número de horas que permanece dormido ha descendido a 15, de las cuales entre 10 y 12 pueden ser durante la noche y el resto en la siesta. A partir de entonces, este patrón se va a mantener más o menos estable, teniendo una media de horas de sueño durante la primera infancia de entorno a 10 o 12 horas.

Que el bebé esté en la fase de sueño ligero no quiere decir que esté despierto.

33 ¿Los niños tienen pesadillas?

A LO LARGO de la noche, se producen diversas fases de sueño. En la fase de sueño más ligero (conocida como REM), tienen lugar algunos hechos que pueden tener un carácter inquietante y angustioso, e incluso provocar un sentimiento intenso de miedo en el niño. A estos sueños los denominamos pesadillas y cuando aparecen, el niño se despierta llorando muy agitado y requiriendo la presencia de alguien.

LAS CAUSAS

El niño sueña con el mundo que conoce, por eso en los sueños es normal que aparezcan aquellos elementos que le gustan, le reconfortan, le traen buenos recuerdos. Aunque es normal verlos sonreír mientras duermen, también en algunos sueños surgen otros elementos que le producen temor, miedo o angustia, y por ello se despiertan muy sobresaltados y sudorosos.

LAS CONSECUENCIAS

Las pesadillas surgen en torno a los dos años y suelen despertar al niño que muestra múltiples signos de agitación, como respiración acelerada, aumento del ritmo cardiaco, sollozos o llanto intenso, e incluso gritos. Debido a que todavía no son capaces de distinguir claramente entre el mundo real y el imaginario, las situaciones a las que se enfrentan durante estas pesadillas pueden ser interpretadas como algo muy real, por eso reaccionan de ese modo tan intenso. Es positivo que les ayudemos a diferenciar entre la realidad y los sueños; nuestra ayuda les hará sentirse más seguros.

A partir de los tres años, se manifiesta el miedo a la oscuridad: cuando se apaga la luz el niño pierde información, se siente desprotegido, se pone en guardia y teme la aparición de personajes fantásticos, brujas, fantasmas... que pueblan el mundo de los cuentos.

✓ Sabías que...

A los tres años de edad surge en el niño un mundo imaginario en el cual pueden aparecer aquellas cosas que no puede asumir en el mundo real. Al niño le gusta establecer juegos de representación donde pueda interpretar diversos roles y personificar distintos personajes idealizados e imaginarios.

✓ ¿Qué podemos hacer?

Los adultos podemos ayudar a superar esos momentos de angustia y reconfortar al niño actuando de la siguiente manera:

1 Transmitiendo seguridad, afecto, tranquilidad y confianza ante situaciones novedosas y desconocidas. No mostrando nuestros miedos (somos personas adultas capaces de controlar la situación). Acudiendo al lado del niño ante su llamada desesperada y permitiendo que el pequeño se quede junto a nosotros durante unos minutos hasta que se calme.

2 Intentando que nos explique el sueño y mostrándole que no es real. Si se pone más nervioso, conviene que esperemos a la mañana siguiente para hablar de ello. Facilitándole la presencia de sus objetos preferidos, como peluches, mantas, chupetes, biberones... Ayudando a encontrar durante el día esos monstruos que por la noche le aterran, en un momento de juego y confianza, para que entienda que no están allí.

3 Utilizando la fantasía del niño de forma positiva, como un juego, pero nunca como una amenaza para conseguir determinados fines. No es conveniente amenazarle con acontecimientos tanto reales («te llevaré al médico para que te ponga una inyección si no me haces caso») como imaginarios

(«si no te callas, vendrá la bruja»). Nunca pretender que el niño nos obedezca asustándole con dejarle a oscuras en una habitación cerrada. La oscuridad en sí misma no tiene por qué dar miedo a un niño. Pero si es así, podemos calmarle mostrándole seguridad y acompañándole para que pueda ir de habitación en habitación en penumbra. En el caso de que las pesadillas sean persistentes y recurrentes sobre temas parecidos, es importante que no sólo tratemos de ayudarle a expresar sus emociones en el momento, sino que trataremos el tema más ampliamente durante el día. En el caso de que esta situación se prolongue, lo mejor será consultarlo con un especialista en pediatría o en desarrollo infantil.

34 Prevenir y reducir el llanto durante la noche

UNA DE las primeras tareas que tenemos que realizar en relación con un bebé es el inicio de hábitos y rutinas que irán organizando la vida del niño y de quienes le rodean. Durante las primeras semanas de vida tomamos decisiones que, casi sin darnos cuenta, se van a ir estableciendo las primeras rutinas. Por ejemplo, decidimos los momentos más adecuados para el baño, para dar los paseos, se empiezan a hacer más predecibles y por ello más estables los momentos de las comidas o dónde va a dormir el niño. De forma natural, se van elaborando unos horarios en los cuales el mayor nivel de actividad para el niño tiene lugar durante el día, dejando para la noche los momentos de menor actividad para poder favorecer el descanso de todos. Lo que se hace tomando estas decisiones y organizando los horarios es ayudar al niño en algo tan básico para él como es distinguir entre el día y la noche, dicho de otra forma, distinguir entre los momentos de actividad y los de descanso.

Al principio para el niño esto no es un trabajo fácil (hay que tener en cuenta que dentro del vientre de la madre el niño tiene sus propios ciclos de actividad y descanso, y que cuando nace se tiene que adaptar a un entorno nuevo para él). Por ello, todo lo que se pueda hacer por favorecer la regularidad en los horarios de sueño y vigilia va a suponer una gran ayuda para que el pequeño vaya organizando cada vez de forma más eficaz sus momentos de descanso. El niño va a ir asociando el día con un mayor nivel de actividad (hay más ruidos, más luz, juegan con él, le cogen en brazos, le ponen juguetes para que los observe, le bañan o recibe visitas). Sin embargo, durante la noche el silencio es total, no hay luces y tampoco juegos; todo esto favorece el descanso.

Mantener un ritmo y una regularidad en los horarios de descanso desde las primeras sema-

✓ Sabías que...

Cada niño va a mostrar un nivel de adaptación, por ello lo más adecuado es que nos convirtamos en buenos observadores del comportamiento del bebé durante las primeras semanas. Entender cuál es el nivel de ruido que le despierta y le hace llorar y a cuál es capaz de habituarse y seguir durmiendo puede ayudarnos mucho al principio.

nas de vida del bebé va a favorecer que los ajustes de sus ciclos de sueño y vigilia puedan ser más fáciles de predecir. En este sentido, es conveniente insistir en respetar en todo momento y en la medida de lo posible el descanso del niño; por ejemplo, no sería conveniente despertar al bebé para que lo puedan coger la visitas que hayan ido a la casa. Es imprescindible que los adultos entiendan y respeten los diferentes momentos que marcan la rutina diaria del pequeño.

Cuanto más estables y regulares sean los horarios, y cuanto antes se inicien estas rutinas, más fácil va a resultar, tanto para los adultos como para los niños, convertir la noche en un momento de descanso y no en una constante situación de estrés y lágrimas.

✔¿Qué podemos hacer?

Aunque ya hemos comentado anteriormente que los bebés van organizando sus ciclos de sueño y vigilia de forma gradual, sí que es importante que tengamos en cuenta que desde que son recién nacidos, poseen una importante habilidad que les permite proteger su sueño ante estímulos que podemos considerar molestos para ellos; esto se conoce como «habituación».

Podemos observar esta habilidad del niño tras su nacimiento cuando, por ejemplo, se ha quedado dormido en una habitación donde está puesta una televisión o donde se está hablando; puede que ante algún sonido más alto, se inquiete y se mueva, pero vuelve a quedarse profundamente dormido sin entrar en una situación de llanto.

Esto significa que el bebé desde muy pronto se acostumbra a niveles de ruido e incluso de luz que son constantes, de modo que no está permanentemente despertándose y sobresaltándose ante estos estímulos, protegiendo así su sueño. Esto nos demuestra que un recién nacido tiene más habilidades de las que en un principio se podían suponer, si sólo nos fijamos en su tamaño.

35 Ayudar al bebé en las rutinas del sueño

PARA DORMIR el niño irá buscando la postura que le resulte más cómoda y en la que permanezca más tiempo dormido; no obstante, es conveniente, siguiendo el consejo de los pediatras, acostumbrar al bebé a una postura que no sea boca abajo. Para que el bebé cambie de postura y no esté todo el tiempo en la misma posición, es decir boca arriba, podemos ponerle de lado para dormir, intentando cambiarle de lado de vez en cuando. Si al principio el niño no consigue mantenerse en esa posición, le podemos ayudar poniendo una toalla enrollada junto a un lado de la cuna y el niño acostado sobre ese lateral, de tal manera que la toalla le ayude a mantener la posición y le resulte más difícil girarse. Mantener al niño en esta posición durante el sueño puede ser muy útil, ya que favorecemos que si se despierta por la noche llorando y sobresaltado, pueda llevarse la mano a la boca y consolarse a sí mismo y de esta forma volver a un estado de sueño sin la ayuda del adulto.

A medida que el niño crece es adecuado que vayamos favoreciendo que se pueda calmar solo cuando se despierta por la noche, es decir, intentar ofrecer menos ayuda externa cuando el bebé se despierte y se quede somnoliento, para que poco a poco él mismo pueda volver a un estado de sueño. Favorecer que el niño utilice estrategias para tranquilizarse por sí mismo no quiere decir ni mucho menos que haya que dejar que se sienta solo y abandonado.

Un aspecto al que debemos prestar una especial atención es no intentar calmar al niño dándole comida; debemos asegurarnos antes de que realmente tiene hambre y que ése sea el motivo del llanto.

✔ Sabías que...

Poner desde el principio en su cuna un peluche o muñeco con el que se acostumbre a dormir le ayudará a tranquilizarse y le dará seguridad. Más adelante, cuando el niño sea más mayor, le podemos dejar elegir con qué muñeco o juguete preferido quiere irse a la cama para sentirse más seguro porque ya tendrá desarrollada la capacidad de elegir.

✔¿Qué podemos hacer?

A continuación proponemos una serie de ideas para que los padres y cuidadores vayamos creando hábitos y rutinas en lo que respecta al sueño y al momento de irse a la cama:

1 Somnoliento. Una de estas ideas puede ser la de meter al niño en la cuna antes de que esté completamente dormido, cuando está somnoliento, para que así pueda pasar a un estado de sueño por sí mismo y cada vez con menos ayuda por parte de los adultos.

2 Ambiente. Como ya hemos comentado, también podemos crear un ambiente tranquilo y en silencio durante la noche que ayude a identificar este momento con el dedicado al descanso. Favorece realizar una actividad relajada y tranquila antes de irse a dormir, como el baño. Si momentos antes de llevarle a la cuna iniciamos juegos y aumentamos su nivel de estimulación, al bebé le va a costar pasar a un estado de sueño.

3 Mecer. Si al principio el niño necesita nuestra ayuda para tranquilizarse y pasar a un estado de sueño, es mejor empezar por mecer la cuna que mecer al niño. También podemos utilizar canciones o nanas en un tono suave, de manera que le ayuden a relajarse cuando le dejamos en la cuna.

4 Cuentos. Cuando el niño es más mayor y su nivel de comprensión ha mejorado, las canciones y las nanas se pueden sustituir por la lectura de un cuento todas las noches antes de dormir, cuando ya está en su cama. Lo importante es que el niño identifique que la lectura del cuento o la canción son el acontecimiento que le acompaña todas las noches antes de quedarse dormido.

36 Los trastornos del sueño y las lágrimas

LOS ÚLTIMOS estudios hablan de que en torno a un 30 por ciento de los menores de cinco años presentan problemas y/o alteraciones del sueño de diversa intensidad. Por eso es un tema que consideramos importante abordar en este capítulo, teniendo en cuenta que estos problemas y alteraciones en el sueño pueden afectar a la dinámica habitual y suponen una situación de estrés. A continuación, y en el punto siguiente, se van a presentar los trastornos del sueño más frecuentes que se pueden dar en la etapa infantil.

- INSOMNIO. Son situaciones como dificultad para quedarse dormido, el niño se despierta frecuentemente y no puede quedarse dormido por sí solo, por lo que duerme menos horas de las que se considera normal para su edad. En general, se tiene la sensación de que prácticamente no duerme en toda la noche.

- HIPERSOMNIA. El niño duerme como mínimo un 25 por ciento más de lo que se considera normal para su edad. A veces, de forma temporal, el niño puede mostrar periodos de hipersomnia asociados a falta de sueño o mayor nivel de actividad. Cuando esta situación se mantiene y los padres no encuentran una explicación para este aumento en las horas de sueño, es conveniente consultar con un especialista, ya que la hipersomnia puede relacionarse con alguna medicación o con algún tipo de trastorno.

✓ ¿Qué podemos hacer?

Debemos explorar las causas que lo motivan: la llegada de un hermano, un cambio de domicilio, el inicio en el centro infantil o incluso cuando el niño se está enfrentando a un nuevo reto evolutivo. Saber el motivo aporta tranquilidad a los padres.

37 Las conductas anómalas durante el sueño

LAS CONDUCTAS anómalas más comunes que pueden instalarse en los niños son las siguientes:

- TERRORES NOCTURNOS. Se pueden manifestar con llantos, gritos, chillidos y agitación en medio de la noche; el niño puede estar sudando, encontrarse pálido e incluso sufrir taquicardia. A veces el pequeño ni siquiera se despierta y, si lo hace, se muestra confuso y normalmente no puede recordar lo ocurrido. Los terrores nocturnos ocurren en las primeras horas de la noche frecuentemente en niños menores de seis años y es más típico que aparezca entre los tres y los cuatro años.

- SONAMBULISMO. Suele ocurrir en la primera parte de la noche, en la fase más profunda del sueño. El niño permanece dormido mientras puede estar sentado en la cama, hablando, andando por la casa o utilizando el baño. En estos episodios no se da cuenta de lo que está haciendo y no controla los posibles riesgos. El niño no recuerda lo ocurrido. Este trastorno remite de forma espontánea y suele aparecer entre los tres y siete años. Lo más apropiado es consultar con un especialista.

- ENURESIS NOCTURNA. Es cuando los niños mojan la cama y puede considerarse normal hasta los cinco años; es un problema que preocupa y solemos iniciar diferentes tentativas de solucionarlo sin un criterio fijo y sin asesoramiento profesional que ayude a comprender las causas del problema.

- BRUXISMO. Se caracteriza por apretar o hacer rechinar los dientes durante el sueño, llegando a provocar un sonido que puede ser oído con claridad. Está relacionado con el mal cierre de los dientes superiores e inferiores, y puede causar dolor mandibular, de cabeza, de oídos, desgastar los dientes e incluso producir trastornos en la articulación temporomandibular.

✔ Sabías que...

No debemos confundir los terrores nocturnos con las pesadillas, ya que se dan en momentos distintos del ciclo de sueño. Las pesadillas ocurren durante la fase del sueño ligero y suelen coincidir con la última parte de la noche; además las pesadillas son sueños que producen miedo y que el niño es capaz de recordar y detallar una vez despierto.

√ ¿Qué podemos hacer?

Por último, es conveniente tener en cuenta que estos trastornos del sueño pueden estar relacionados con otros problemas, como el cansancio y la fatiga durante el día, la falta de atención, dificultades de aprendizaje e incluso trastornos del comportamiento. Sólo unas buenas dosis de sentido común y de paciencia son los adecuados para que el adulto responsble de un niño se enfrente a esta serie de problemas.

- Durante los terrores nocturnos, lo que podemos hacer los adultos es esperar junto al niño a que termine, abrazándolo y calmándolo en caso de que se llegue a despertar. Puede volverse a dormir con facilidad.

- Lo que podemos hacer cuando encontramos a un niño sonámbulo es conducirlo a la cama de nuevo, sin despertarle, ya que así podrá continuar durmiendo y no se altera su ciclo se sueño. También se debe tener cuidado con los posibles obstáculos que el niño se pueda encontrar cuando está en dicha situación, además de asegurarnos de que no puede abrir las ventanas o la puerta de acceso al exterior.

El mejor consejo es aplicar mucha paciencia y sentido común en los problemas del sueño.

- Uno de los aspectos que más debemos tener en cuenta respecto a la enuresis es proteger la autoestima del pequeño, es decir, mantener una actitud que consiga que el niño no se sienta culpable ni avergonzado por lo que ocurre. Hay que tener en cuenta que los niños que sufren este problema pueden sentirse mal consigo mismos y ven dañada la imagen que tienen de sí mismos, incluso sentirse fracasados al compararse con otros niños de su edad.

- La aparición del problema del burxismo es más frecuente entre los tres y los siete años y se relaciona con los periodos de estrés que el niño pueda estar viviendo en determinados momentos.

La alimentación

Los educadores se encuentran en situaciones muy complejas y difíciles ante niños que rechazan el alimento sistemáticamente. Para superar la necesidad de alimento básico se deberán conocer las pautas a seguir en cada caso

38 El llanto y la alimentación del bebé

LA COMIDA está presente en las celebraciones de los grandes acontecimientos en todas las culturas y en muchas de ellas además tienen un significado especial. Por ejemplo, en países de cultura mediterránea la comida ocupa un lugar central en las celebraciones sociales y familiares: amigos, familiares y compañeros nos reunimos para cenar o comer y, en algunos casos, la realización de eventos culturales se finaliza con la ingesta de alimentos.

LAS CAUSAS

La alimentación nos acompaña en el transcurso de toda nuestra vida. A lo largo del día los adultos comemos en varias ocasiones, mientras que los niños pequeños y los bebés, lo hacen muchas veces más. Es una actividad placentera a través de la cual se satisface una necesidad biológica básica y principal, pero en este proceso se cubren otras necesidades igualmente importantes. En el momento de la alimentación del niño se establece un espacio de relación y comunicación entre él y la persona que lo alimenta con la que el bebé establece contacto ocular mediante el intercambio de miradas, se tocan y sujetan mutuamente; al niño le gusta y tranquiliza que le hablemos mientras le damos de comer. Esta relación tan estrecha fortalece el vínculo y es muy satisfactoria.

En los primeros meses de vida, este momento es fundamental. Gran parte del tiempo que los bebés permanecen despiertos, lo pasan comiendo: sus estómagos son tan pequeños que se sacian y vacían rápidamente, repitiendo este proceso muchas veces a lo largo del día.

LAS CONSECUENCIAS

Es frecuente que durante estos primeros momentos el niño comunique a través del llanto la necesidad de comer cuando sienta que su estómago está vacío y esto le incomode, por lo que llorará hasta que nos acerquemos a él, le tomemos en brazos y comencemos a alimentarle. En otras ocasiones podemos anticipar el momento de la comida observando al bebé mientras chupa enérgicamente sus manos.

√ Sabías que...

En Japón existe un ritual muy elaborado establecido en la ceremonia del té; en Suecia, antes de comenzar a comer, se prepara la mesa con adornos y velas; los pueblos beduinos y tuaregs agasajan a los invitados poniendo a su disposición la comida que poseen.

✓¿Qué podemos hacer?

Es muy importante alimentar al niño en un espacio cálido, seguro y tranquilo que invite a la calma, siguiendo el ritmo que marca el pequeño y adaptándonos a su demanda, ofreciéndole alimento y respetándole cuando muestre signos de estar saciado.

■ Una vez finalizada la toma de alimento, es posible que el bebé se encuentre incómodo y comience a llorar; esto puede ser debido a que mientras succiona y traga, junto con la leche también traga aire, que se acumula en su aparato digestivo, de ahí que sea necesario que tras las tomas le ayudemos a expulsar el aire para que se encuentre más cómodo, digiera mejor el alimento y pueda descansar. Una vez expulsado el gas, es muy probable que se quede plácidamente dormido.

Para comer debemos buscar el momento, el lugar y el modo adecuados para que el bebé se sienta tranquilo.

■ Es posible que cuando un bebé llore pensemos que pueda demandar alimento, pero cuando ha transcurrido poco tiempo desde la última toma, tal vez su queja se deba a otra causa; por ejemplo, puede que se sienta molesto con un pañal húmedo, tal vez la posición en la que se encuentra en la cuna ya no le parece cómoda, a lo mejor se siente solo y requiere nuestra presencia o solicita un poco de cariño y poder acurrucarse en nuestros brazos. Por ello, conviene ser prudentes y no asociar automáticamente el llanto con la necesidad de comer. Cuando el niño gana peso, descansa bien y muestra su vitalidad habitual, podemos pensar que está alimentado de forma adecuada. Observando al bebé, poco a poco podremos llegar a reconocer las causas de su llanto y actuar conforme a ellas, atendiendo a sus demandas de forma satisfactoria.

39 ¿Qué problemas se perciben al comer?

LA ALIMENTACIÓN forma parte de un proceso mediante el cual se ingieren los alimentos necesarios para el adecuado funcionamiento del organismo, encuadrado en un espacio de relación y comunicación. La disposición que tomamos ante la comida está transmitiendo información sobre el significado que le atribuimos al acto de comer.

LAS CAUSAS

En ocasiones los niños pueden comenzar a llorar a la hora de comer, antes de iniciar el proceso o durante el mismo. Cuando nos enfrentamos al llanto del niño antes de comer, esto puede ser debido a diversos motivos: tal vez en ese momento no tenga hambre porque haya pasado muy poco tiempo desde la última toma de alimentos; es posible que haya tomado algún alimento antes de su hora de comer; también puede ser que quiera satisfacer un deseo puntual que no coincide con el nuestro (por ejemplo, comer dulces o golosinas) y tener una rabieta mientras se lo negamos porque pensamos y anticipamos que le puede saciar su hambre y no tener apetito posteriormente; puede que en el momento previo a la comida esté concentrado en un juego especialmente divertido y le resulte difícil cambiar de actividad.

Durante la comida también pueden surgir episodios de llanto en el niño, algunos de ellos se explican porque: no tiene hambre o se siente saciado; quiere mostrarse más autónomo bebiendo solo en el vaso o comiendo con su cuchara; se haya percatado de que nos ponemos muy nerviosos cuando en algunas ocasiones tiene arcadas, e intenta finalizar la comida utilizándolas como estrategia para llamar la atención, etc.

✓ ¿Qué podemos hacer?

Alimentar no solamente es dar de comer, es mucho más: es cuidar, es procurar crear satisfacción, es otorgar autonomía, es disfrutar del placer de compartir, es comunicar, es favorecer el vínculo. Cuando el llanto surge a la hora de la comida, es importante que podamos interpretar su significado, de forma que nos adaptemos al niño para darle una respuesta adecuada.

40 ¿Cómo reaccionar ante el llanto a la hora de comer?

EL LLANTO supone una forma de comunicación y de expresarse. Si el niño se encuentra muy excitado o demasiado nervioso, hay que intentar calmarle. También debemos marcar límites firmes cuando tenga rabietas desencadenadas por el deseo de tomar algún alimento que consideramos no adecuado o poco conveniente en ese momento. Cuando se calme, le mostraremos nuestro cariño y afecto, mientras le transmitimos que hay determinadas situaciones que no podemos tolerar. Conservaremos unas normas referidas a las situaciones en las que el niño no puede comer determinados alimentos (dulces, golosinas).

En todo momento conviene observar a cada niño y aprender a interpretar los signos que nos comunican que la comida ya le ha saciado y no desea comer más. Y no debemos olvidar que las pautas son buenas para el pequeño, por eso debemos procurar al niño momentos de descanso y mantener una rutina horaria para las comidas.

Es conveniente establecer un lugar exclusivamente dedicado a la comida (la mesa del comedor o de la cocina) donde el niño pueda identificar determinadas características ambientales y sociales placenteras con este proceso. Es preferible que no disponga de elementos cercanos que le distraigan y, en cambio, tener otros que inviten a la calma y la tranquilidad para que así vaya comprendiendo que se acerca la hora de la comida, que es tan importante como los momentos de juego y diversión. Es bueno para su desarrollo personal permitir al niño explorar los alimentos que va a ingerir dejando que los toque y los lleve a la boca con la mano cuando inicie la autonomía en la comida.

Debemos intentar comunicarnos con el niño manteniendo contacto ocular constante durante la comida. Para ello se puede favorecer la autonomía del niño poniendo a su alcance cubiertos y vajilla adecuados a su edad y permitiéndole que los utilice, aunque al principio no lo haga correctamente.

✓ Sabías que...

No debemos insistir de una forma muy perseverante ni forzar al niño a comer cuando no quiera. Debemos respetarle y no enfadarnos por esa circunstancia: en ese momento puede que no tenga hambre, esté saciado o le duela la tripa.

✓ ¿Qué podemos hacer?

Si ante la comida el niño muestra su negativa en un primer momento, sin llorar, pero apartando la cara de la cuchara, podemos intentarlo de nuevo, mostrándonos firmes y tranquilos. Tal vez lo haya pensado mejor y sí quiera continuar comiendo, pero si persiste en su negativa y llora, sería adecuado aplazar la comida.

- Una posibilidad es dejar la comida para otro momento. Si en alguna ocasión intenta finalizar provocándose arcadas, debemos mantener la calma, mostrándonos afectuosos y estableciendo un límite para no permitir que manipule el momento de la comida; en este caso también la dejaremos para otra ocasión. Es importante que no entremos en conflicto por la comida porque en este campo el niño siempre ganará.

- En estos casos es conveniente posponer la comida para otro momento en el que se encuentre tranquilo y pueda disfrutar de la situación y comer con placer y sin tensión. Como en otras circunstacias de conflicto, debemos expresar afecto y cariño al niño durante la comida, sin amenazas ni castigos si en algún momento no quiere comer. Si nos mostrarnos tensos e inquietos cuando se niegue a comer, el niño lo percibirá y

asociará su negativa a comer con nuestro estado emocional. Puede llegar a utilizar esa situación para intentar ejercer cierto control sobre nosotros; para ello mostrará su disconformidad negándose a comer cuando quiera oponerse en otro momento.

El niño más mayor

¿Qué podemos hacer?

Cuando el bebé crece el llanto es un reclamo de
atención hacia los adultos. Distinguir entre el llanto real
y el llanto estrategia es el punto básico de los
educadores

41 El llanto como estrategia para llamar la atención de los adultos

COMO YA hemos visto, el niño cuando es un bebé utiliza el llanto para comunicar sus necesidades más inmediatas y, a medida que va creciendo y conociendo el lenguaje, puede empezar a expresar sus necesidades y deseos con palabras. A partir de este momento, el llanto como comunicación de estas necesidades y deseos se irá reemplazando por el lenguaje. De todas formas, el niño seguirá utilizando el llanto para expresar las emociones que siente.

LAS CAUSAS

Cuando un niño llora, lo que tenemos que asegurar siempre es que sus necesidades básicas están cubiertas. Y si el niño ya tiene un uso adecuado del lenguaje, debemos escuchar sus motivos. Los adultos debemos entender que los niños también pueden llorar por sentimientos dolorosos, y que en esas ocasiones puede que el pequeño necesite más nuestro contacto físico, que estemos cerca de él, que le escuchemos y aceptemos esta expresión de sus emociones.

Sin embargo, hay ocasiones en las cuales los adultos podemos tener la sensación de que el niño nos está manipulando con su llanto, cuando nos damos cuenta de que el llanto no está relacionado con necesidades reales, ni con peticiones razonables, ni con un sentimiento doloroso, sino más bien que lo está utilizando para conseguir lo que quiere en ese momento. En estas situaciones es cuando tenemos que asegurarnos de marcar unos límites claros y adecuados en su conducta.

✓ Sabías que...

Unos límites rígidos, que no se ajustan a la realidad, al final no permiten al niño crecer y aumentar su autonomía. Por otra parte, unos límites desdibujados o inexistentes pueden hacer sentir al niño que nunca tiene suficiente, aumentando su nivel de exigencia y no aceptando las negativas.

✓¿Qué podemos hacer?

Hay que establecer unos límites que ayuden al niño a sentirse más seguro, unos límites que le faciliten el entendimiento de lo que pueden o no hacer. Para evitar confusión o el efecto contrario, los límites no pueden ser arbitrarios; pero sí deben ser flexibles para ir ajustándose a la evolución del niño y al contexto en el que se desarrolla.

- Hay que entender que a los adultos no siempre nos es fácil establecer estos límites. A veces nos podemos sentir cansados, con pocas ganas o energías de enfrentarnos al niño; otras, cuando no se puede pasar mucho tiempo con él, queremos compensar esa situación cediendo siempre ante lo que pide.

- A veces el problema está en que varios adultos tienen criterios diferentes y realmente no son capaces de llegar a un acuerdo para establecer los límites, de manera que cada uno intentará imponer sus criterios al niño, pudiendo incluso desacreditar los límites establecidos por el otro.

Para que realmente los límites y normas que establezcamos con el niño resulten eficaces, es muy importante aportarle afecto y cariño y que mostremos un comportamiento coherente con lo que estamos exigiendo. Debemos tener en cuenta que cuando estos límites son excesivos, se acaban volviendo ineficaces.

- Aunque los límites sean claros, estén bien definidos y acordados, el niño va a intentar probar y medir cuál es la reacción de quienes le cuidan cuando sobrepasa el límite marcado. En estas ocasiones, lo más conveniente es que nos mostremos firmes y no cedamos. Siempre que sea necesario podemos decir un «no» que esté lleno de afecto, pero que sea firme: realmente una negativa no se tiene que acompañar de agresión o violencia verbal. Si acabamos cediendo, lo que conseguimos es confundir al niño y lograremos que cada vez se vaya volviendo más exigente.

42 ¿Qué es una rabieta?

A LO LARGO de su desarrollo, independientemente de su temperamento, en alguna ocasión surgirá una situación que pueda frustrar al niño y que desencadene una rabieta. Esta reacción supondrá que ante una situación donde no logre un propósito deseado, surgirá un momento en el cual el niño perderá el autocontrol con un llanto continuo, fuerte y difícil de calmar, en ocasiones acompañado de movimientos enérgicos de los miembros inferiores y superiores. En los capítulos siguientes abordaremos cómo actuar y qué estrategias utilizar cuando nos enfrentemos a esta situación.

LAS CAUSAS

La ira descargada en una rabieta es la expresión desproporcionada de un sentimiento de desilusión. En otras ocasiones es una respuesta ante un estado de agotamiento, sueño, sobrecarga de estímulos, aburrimiento, enfermedad u otras situaciones que le desbordan. Con el transcurso del tiempo será capaz de dominar el llanto y lo utilizará para manejar una situación.

LAS CONSECUENCIAS

El niño aprende a usar la rabieta para intentar alcanzar un objetivo deseado, y espera obtener aquello que quiere conseguir teniendo en cuenta diversas variables:

- LA INTENSIDAD: el niño aprende a que cuanto más alto y fuerte sea el llanto, más fácil es que los adultos accedan a sus pretensiones.
- LA DURACIÓN: la experiencia le indica que cuanto más tiempo dure la rabieta, tiene más posibilidades de conseguir su objetivo.
- LA REPRESENTACIÓN: el niño percibe las reacciones emocionales de los adultos y en ocasiones puede utilizar esa información para intentar obtener aquello que le es difícil conseguir de otro modo; por ello intenta escenificar una situación de llanto desproporcionado en los lugares, los momentos y ante el público más diverso.

Contemplar una rabieta en un niño es una situación complicada para quienes están con él en ese momento, pero también es una situación difícil para él. El niño soporta una serie de tensiones propias de su desarrollo y el aprendizaje del complejo mundo que le rodea, las cuales, en ocasiones, le agotan. Es entonces cuando se descarga emocionalmente, ya que aún no ha adquirido una capacidad de comunicación lo suficientemente madura como para expresar verbalmente cuáles son sus necesidades; además espera satisfacer sus necesidades de forma inmediata aquí y ahora, costándole entender que en ocasiones no es posible. Las rabietas pueden  aparecer hacia el final del primer año y el principio del segundo y son más frecuentes durante el segundo y el tercer año de vida. Alrededor del año consigue permanecer en bipedestación; a partir de ese momento, caminar solo le permite desplazarse con más autonomía y contemplar el mundo desde otra perspectiva. También en estos meses y hasta los dos años, dice las primeras frases de dos o tres palabras: ya puede expresar verbalmente sus necesidades y estos hitos son muy significativos en su desarrollo.

A los dos años, el niño se muestra egocéntrico, quiere intentar satisfacer sus deseos, caprichos y necesidades, pero éstos no suelen ser los mismos que los de los padres, por eso surgen conflictos, aparecen frustraciones y tienen que aprender normas que regulen su comportamiento, tanto en la higiene como en la comida y en los juegos. También aparece la palabra «no». El niño aprende a decir «no» e intenta imponer su criterio. Con tres años está muy interesado en descubrir cómo funcionan las cosas y en explorar el espacio, adquiere nuevas habilidades que le procuran una mayor autonomía a la hora de vestirse (poniéndose solo los zapatos), en el aseo (lavándose las manos) y en la comida (sirviéndose solo). Se relaciona con otros niños de su misma edad. Le gusta formular preguntas al adulto y responde si éste se lo pide.

✓¿Qué podemos hacer?

No debemos olvidar que en esta situación al niño le cuesta pensar y atender a nuestros argumentos y razones, por eso esperaremos a que se calme. Cuando se tranquilice y la rabieta haya terminado, podremos hablar con el niño de lo ocurrido y posteriormente mostrarle todo nuestro afecto y comprensión para que se vaya calmando.

43 ¿Cómo debemos actuar durante una rabieta?

LA RABIETA supone una situación difícil que pone a prueba la capacidad de los adultos para superar dificultades y mantener el control. Aunque en ocasiones resulte realmente complicado mantener la calma cuando el llanto continuo e intenso del niño acapara las miradas de todas las personas que le rodean y, sobre todo, cuando descubrimos que no todas esas miradas son de comprensión, no debemos olvidar que somos quienes tenemos que mantener el control de esa situación. Los adultos somos el modelo, el espejo en el que se mira el niño, por eso si nosotros nos mostramos tranquilos y podemos contener esa situación, el niño poco a poco aprenderá a controlarse.

Para el niño también es un momento muy complicado porque durante la rabieta siente una fuerte emoción que le consume mucha energía y además percibe el efecto que provoca en los adultos. Una vez finalizada la rabieta, el niño se sentirá muy vulnerable y necesitará toda nuestra comprensión y el máximo afecto posible para recuperar la normalidad.

✓ Sabías que...

El niño no posee recursos propios suficientes, su lenguaje es aún inmaduro y la capacidad de reflexión está en proceso, por ello le resulta tan difícil expresar sus emociones de forma controlada.

Cuando se trate de una rabieta, es importante establecer un límite claro e inamovible, una respuesta tranquila que implicará esperar a que se calme sin ceder a sus pretensiones, para posteriormente explicarle y hacerle comprender por qué no hemos accedido a sus deseos a través de argumentos que pueda entender. Al poner este límite al niño, le estamos transmitiendo que aunque en algunos momentos él no pueda controlarse y se desborde, nosotros podremos ayudarle y protegerle hasta que adquiera su propio control.

✓¿Qué podemos hacer?

Una vez que se ha iniciado la rabieta es importante no ceder ante el motivo que la ha propiciado, porque si cambiamos nuestro criterio ante la persistencia del llanto, el pequeño aprende que se trata de un medio eficaz para quebrantar nuestra voluntad. Con nuestra respuesta han de entender que por muy alto que lloren o por mucho tiempo que dure la rabieta, nuestra respuesta no va a cambiar. Debemos evitar fallos como:

- COMPORTARNOS COMO NIÑOS. Respondiendo de forma exagerada y descargando nuestra ira. Un adulto sabe mantener el control.

- SER ARBITRARIOS EN LAS RESPUESTAS. Mantendremos el mismo criterio ante situaciones similares.

- NO ESCUCHAR ADECUADAMENTE LAS DEMANDAS DEL NIÑO. La decisión final la tenemos los adultos, pero tiene que sentirse escuchado.

Esperar a que se calme y ser pacientes es la mejor forma de enfrentarse a una rabieta infantil.

Una manera de afrontar una rabieta consiste en tratar de hacerle comprender que no es el modo de transmitirnos su deseo. Si es posible, le dejaremos momentáneamente solo y le diremos que en cuanto se calme volveremos a atenderle, pero:

- Si la rabieta se produce en un lugar público del que no podemos irnos, le cogeremos entre nuestros brazos y esperar a que poco a poco se calme.

- Si la rabieta es tan fuerte que se autoagrede o lastima a otras personas con golpes o cabezazos, deberemos sujetarle. Le diremos que hasta que no se calme no podemos soltarle, pero siempre manteniendo la calma y procurando no utilizar excesiva fuerza.

- Si durante la rabieta demanda insistentemente nuestra atención, le diremos que hasta que no se calme no podemos atenderle ni razonar con él porque no nos escuchará. Lo dejaremos para más tarde: una vez se haya calmado, será el momento de mostrarle nuestro afecto, abrazarle y explicarle que esa no es la forma de pedir algo.

44 ¿Se pueden evitar y prevenir las rabietas?

EN LA EDUCACIÓN de los niños es muy importante saber establecer límites. Hay determinadas acciones que el niño no puede realizar por lo que debemos decir de forma clara que eso no se puede hacer. En ocasiones, nuestra negativa puede provocar un sentimiento de ira en el niño; como a esta edad todavía no ha aprendido a controlar este tipo de emociones, lo más probable es que se desencadene una rabieta. Pero si el niño tiene claros los límites, el número de rabietas se reducirá.

✓ ¿Qué podemos hacer?

Para intentar entender mejor al niño podemos utilizar una serie de estrategias que limiten la intensidad y el número de rabietas. Aunque al principio nos pueda resultar difícil aplicarlas, debemos intentarlo por el bien del niño:

- Favorecer que el niño pueda expresar sus sentimientos y emociones de enfado o disgusto antes de que esos sentimientos le dominen y los exprese de forma violenta e inadecuada. Resulta muy útil transmitir la emoción en palabras.
- Adelantarnos a sus necesidades fisiológicas (hambre, sueño) para evitar una rabieta.
- Establecer rutinas porque le ayudan a comprender el mundo y sentirse más seguro.
- Explicarle las acciones que van a suceder, prepararle para que pueda anticipar los próximos acontecimientos.
- Aprender a escuchar al niño y mostrarle que se le tiene en consideración. Para ello podemos ayudarle a elegir entre diferentes opciones, cuando sea posible, para que sienta que hay momentos en los que él puede decidir y su opinión se tiene en cuenta.
- Mostrar con nuestro ejemplo cómo se puede afrontar una situación que nos produce ira sin recurrir a la rabieta, los gritos o los golpes.
- Iniciar el desarrollo de la capacidad empática en el niño, para que sea capaz de conocer los sentimientos de los demás ante determinadas situaciones.

✓ Sabías que...

Los adultos con niños a su cargo han de establecer unos límites claros y bien definidos que le aporten al pequeño seguridad y una guía para aprender a comportarse en el mundo. El hecho de que en ocasiones los niños intenten transgredir voluntariamente estos límites es su manera de comprobar que esa guía de comportamiento que se les ha impuesto es lo suficientemente segura y consistente.

- Ayudar a tomar conciencia de que sus acciones tienen consecuencias sobre el entorno y las personas que le rodean.
- Aprender a identificar los signos externos previos a que se produzca la rabieta.
- Distraerle y motivarle siempre que se detecte algún signo de rabieta.
- Ayudar al niño a tolerar la frustración, cuando ésta se produzca.
- Transmitir al niño todo nuestro afecto y proporcionarle contención para que se sienta seguro y querido.
- Aprender a controlar los tiempos de espera y acostumbrarse a que no siempre las respuestas son inmediatas.
- Introducir el humor en nuestra interacción con el niño, intentando superar los momentos de tensión de forma distendida.
- Transmitirle de forma clara y precisa que existen situaciones que estamos dispuestos a admitir y otras que no son tolerables en ningún caso.

45 ¿El castigo físico es útil para educar?

LA RESPUESTA a esta pregunta debe ser clara y contundente: no. Bajo ningún concepto el castigo físico debe considerarse un método educativo, ni en casa ni en la escuela. Según *Save The Children*, organización que trabaja en beneficio de los derechos de los niños, el castigo físico incluye: bofetadas, azotes, golpes en la cabeza, tirones de pelo y orejas, pellizcos y otras agresiones corporales, así como la humillación que conllevan.

LAS CAUSAS

Las justificaciones para el uso del castigo físico con los niños tienen un componente cultural, que actualmente está cambiando, aunque siempre hay quien usa de la violencia, ya sea ésta contra los niños u otro colectivo. Actualmente el castigo físico como forma de educación con los pequeños es rechazado socialmente (prueba de ello es que ha desaparecido de las escuelas), aunque todavía hay cierto nivel de tolerancia cuando su uso es en el ámbito privado, dentro del entorno familiar.

LAS CONSECUENCIAS

El adulto puede pensar que un azote de vez en cuando no viene mal, y que él tiene muy claro cuándo es necesario y cuándo no, y la intensidad del mismo, es decir, tiene la sensación de que controla la situación. Los adultos debemos ser honestos con nosotros mismos y darnos cuenta de que ese aparente control sobre la situación puede variar mucho según sea nuestro estado emocional en ese momento. También puede ser que el azote o la paliza que demos al niño tenga mucho más que ver con nuestra necesidad de desahogo que con el hecho objetivo que queremos corregir.

✓ Sabías que...

El castigo físico va a causar en el niño por una parte miedo y ansiedad y, por otra, confusión emocional, ya que la persona que normalmente le da cuidados y mimos, se convierte de repente en una fuente de peligro y dolor. En esta situación es difícil que el niño aprenda algo, pero lo único que recordará es la sensación de miedo.

Convertir el castigo físico en una estrategia para educar al niño supone que va a responder de la manera que quieren los padres sólo por miedo. Esto implica que tendremos que seguir utilizando para controlar la situación o, en su defecto, recurriremos a la amenaza del castigo, sabiendo que si no se cumple, el niño se dará cuenta de que los adultos no hacen lo que dicen y su confianza en ellos se verá afectada.

Que el uso de los castigos y las amenazas no sean métodos educativos para un adecuado desarrollo del niño no quiere decir que los adultos no tengan que utilizar la autoridad; pero no podemos confundir nunca autoridad con autoritarismo. Tenemos que aprender a ejercer la autoridad sin necesidad de usar la violencia, buscando métodos que nos ayuden.

✓ ¿Qué podemos hacer?

Como alternativa al uso de los castigos, podemos favorecer un clima de seguridad afectiva en el cual haya demostraciones de cariño, donde se respeten las normas y límites sin humillaciones, y se fomente la autonomía del niño para que se sienta escuchado. Mantener una comunicación fluida con el pequeño es muy importante y nos ayudará a crear un espacio de intercambio y compresión mutuos y a prevenir la aparición de un contexto donde se

El diálogo y la comprensión son muy eficaces para educar.

utilice la violencia. Por ello, además de los límites, deberemos transmitir los sentimientos.

■ Los adultos responsables deberíamos intentar ser asertivos en la comunicación que mantenemos con los niños, es decir, expresar de manera directa las emociones y opiniones, sin incluir amenazas, respetando siempre al pequeño y manteniendo nuestra capacidad de escucha.

■ También es importante darnos cuenta de que cuando usamos el castigo físico y las amenazas con el niño, le estamos transmitiendo que el uso de la violencia es un comportamiento aceptable.

46 ¿Por qué lloran los niños cuando van a la escuela?

ES NORMAL que cuando un bebé o un niño pequeño acude por primera vez a la guardería o escuela infantil, llore amargamente durante los primeros días o incluso semanas. Es importante entender esta respuesta del niño, porque supone un momento en el que también se mezclan muchas emociones y dudas. No es ningún hecho extraño ni fuera de lo normal que el niño llore, por eso sus padres o cuidadores no deben asustarse ni, por supuesto, dejar de llevarlo al centro escolar porque entonces el niño usará las lágrimas como estrategia en el futuro.

LAS CAUSAS

Lo primero que debemos tener en cuenta es que para el niño normalmente esta situación supone la primera vez que se separa de una forma prolongada y continuada de quien le atiende a diario y de las otras personas de referencia habituales en su entorno. Por tanto, su llanto es una respuesta adecuada a esa angustia que siente por la separación. Esta respuesta va a variar según la edad del niño y el momento de su desarrollo socioafectivo.

Antes de los seis meses, el niño ya reconoce y prefiere a su madre, su padre y a otros adultos que lo cuidan, aunque todavía esto no suponga un rechazo a personas desconocidas. Sin embargo, entre los seis y los ocho meses, el niño inicia el rechazo evidente a las personas que no le resultan conocidas o de confianza, a la vez que busca de forma más activa el contacto y la atención de los adultos de referencia de su entorno. Esto sucede porque el niño reconoce, discrimina y prefiere a las personas que se han convertido en sus figuras de apego, muestra alegría cuando les ve y está con ellas, muestra señales claras de querer permanecer a su lado y, sobre todo, se siente seguro en presencia de quien le cuida, comprobando constantemente que permanece allí.

En torno a los 18 meses, el niño da un salto muy importante en su desarrollo, ya que inicia los procesos de representación y simbolización; lo podemos comprobar observando el uso que hace el pequeño de los objetos (puede hacer rodar una pieza de construcción como si fuera un coche) y los juegos simbólico que inicia (da de comer a un muñeco). A partir de este momento, a medida que va avanzando en su proceso de representación y simbolización, al niño le va a resultar más fácil la separación, ya que puede imaginarse a sus figuras de apego, incluso cuando no están presentes. Cuando la experiencia le confirma que estas personas reaparecen realmente cada día cuando termina su estancia en la guardería o escuela infantil, sus dificultades para aceptar la separación serán menores. A esta edad el niño también muestra interés por la relación con otros niños, y se pueden observar que en las aulas surgen relaciones de alternancia y reciprocidad; sin embargo, éstas necesitan estar vigiladas por la presencia de un adulto.

De los dos a los tres años es un periodo marcado por la importancia que adquiere el lenguaje en su desarrollo: la posibilidad de comunicarse, de compartir y de intercambiar información le ofrecen al niño todo un mundo nuevo. En esta edad suelen surgir muchos conflictos y rabietas, ya que va a intentar por todos los medios imponer sus deseos y su voluntad. Poco a poco, y a partir de las experiencias sociales que va almacenando, podrá ir saliendo de la situación de egocentrismo que caracteriza esta etapa, para ajustarse a los límites y normas que los adultos le imponen y ceder, en alguna medida, en sus deseos.

LAS CONSECUENCIAS

El entorno educativo le va a proporcionar al niño la posibilidad de establecer otros lazos afectivos que serán enriquecedores para él. Los bebés y los niños pueden aceptar la separación de sus figuras de apego primarias y ampliar sus relaciones afectivas hacia otras personas. Pero este proceso va a ser más fácil cuanto más estable y segura sea la relación de apego del niño con quienes le cuidan y quieren, y cuanto más estable y continua sea la relación con las personas del nuevo entorno.

✓Sabías que...

Desde el nacimiento, los bebés muestran una preferencia clara por los estímulos sociales, como son la voz y la cara de quienes les rodean. Normalmente hacia los tres meses de edad, el bebé ya responde con una sonrisa social a la interacción con

el adulto. Aunque a los niños más tímidos les cuesta un gran esfuerzo establecer relaciones sociales.

✓¿Qué podemos hacer?

Teniendo todo lo anterior en cuenta, es conveniente que cuando tomemos la decisión de llevar a un niño a una guardería o escuela infantil, además de otros aspectos relacionados con los principios pedagógicos que rigen el centro, como la formación del personal, el número de niños que atiende cada educador o educadora y la distribución por edades en cada aula, también nos preocupemos por la calidad del centro en cuanto a la seguridad afectiva que ofrece al niño. Debemos tener en cuenta que es importante que el niño pase por la menor cantidad de manos posibles y exista un educador o una educadora de referencia que acompañe al pequeño durante los diferentes cursos.

1 Los padres deben saber que cuando se inicia un proceso como éste, es conveniente y necesario que el niño tenga un «periodo de adaptación», en el cual se irá facilitando su familiarización con el nuevo espacio y las nuevas personas con las que va a convivir a partir de ahora.

2 Cada centro tendrá organizado este periodo de adaptación según sus criterios, por lo que resulta muy positivo que intentemos ajustarnos a él. Durante este periodo puede ser útil para el niño que le expliquemos lo que va a encontrar en la escuela y le motivemos con las nuevas experiencias que le esperan allí.

3 Aunque sean niños muy pequeños, debemos intentar ajustarnos a su nivel de comprensión, ya que siempre es aconsejable ponerle palabras a una situación que al principio es difícil, tanto para el niño como para el adulto.

Cómo debemos actuar los adultos

¿Qué podemos hacer?

Los adultos tenemos que ser el espejo en el que se miren los pequeños. Con nosotros ellos deben sentir seguridad, protección y cariño, y para transmitírselo debemos estar plenamente relajados

47 ¿Cuál es la mejor manera de coger al bebé para calmarle?

EL CONTACTO físico es fundamental para el correcto desarrollo cognitivo y afectivo del niño. La forma de cogerle en brazos durante las actividades cotidianas, como la higiene o la hora de vestirle, es también una forma de contacto físico, con el que estamos demostrando muchos sentimientos al bebé. Un ejemplo sencillo de esto es que el bebé percibe si la persona que lo tiene en brazos lo hace con naturalidad o con temor. También nosotros percibimos esa sensación cuando dependemos del apoyo de otra persona y está en juego nuestro equilibrio o una posible caída. Pero además debemos evitar ser demasiado bruscos, los movimientos rápidos y controlar siempre la posición de la cabeza.

Otro factor que hay que tener en cuenta a la hora de coger en brazos al bebé es la diferente percepción que ambos tenemos de la gravedad. El pequeño ha estado en un medio líquido y limitado durante el periodo de gestación y con el parto ha sido despojado de este ambiente que dominaba. Ahora percibe la gravedad como un peso que no le permite enderezar el cuerpo, por lo que deberá aprender a estirarse poco a poco y controlar el movimiento de las diferentes partes del cuerpo, primero la cabeza y luego el tronco, los brazos y las piernas, siempre siguiendo esta pauta de desarrollo conocida como cefalocaudal.

Una postura muy útil será tomar al bebé con una mano en las nalgas y la otra en el vientre. Apoyaremos su espalda contra nuestro pecho, dando estabilidad entre nuestra mano y nuestro cuerpo, dejando la cabeza libre para poder explorar. Dependiendo del control de cabeza que tenga el bebé debido a la edad, tendremos que reclinarlo más o menos, desde nuestra mano en la que está «sentado». Esta postura le aporta seguridad y le permite explorar el entorno. Además le encantará que le hablemos o cantemos acercándonos a su oído, lo que será muy útil para calmarle cuando esté llorando.

✓ Sabías que...

El método canguro utiliza también este mecanismo, usando como mediadores de la comunicación el calor humano del adulto y el contacto piel con piel. Bastará que coloquemos y abracemos al niño encima de nosotros, ambos desnudos y tumbados relajadamente. El niño percibirá además los movimientos rítmicos de nuestra respiración y del latido del corazón, para conseguir calmarle.

✓ ¿Qué podemos hacer?

No existe una postura ideal para coger al niño en todas las situaciones, sino que dependerá del objetivo que persigamos en cada momento, pudiendo así variar las posiciones clásicas por todos conocidas. Será el caso de la posición en la que tomamos al bebé «sentándole» en nuestro antebrazo, quedando su pecho apoyado en nuestro hombro y la cabeza por encima de él. De esta manera, el niño mira hacia atrás de nosotros; esta postura no es específica para estimularle, pero sí para expulsar los gases durante y después de las tomas. Podemos experimentar todas ellas y observar cuáles prefiere y cuáles no le gustan.

Cuando el niño nace, la región del cerebro conocida como la ínsula ya está muy desarrollada. Aquí se gestionan los sentimientos y los vínculos afectivos, traduciéndose todo esto en que ya desde el nacimiento, el niño ve influenciada su situación y estabilidad emocional según sean los estímulos externos. Esta función tónica del cuerpo es la primitiva y fundamental de la comunicación y del

El contacto físico, el calor humano, la respiración o el latido del corazón son mecanismos naturales que ayudan a calmar al bebé.

intercambio, tan necesarios para los seres humanos. La relación y la comunicación con el bebé la establecemos a través del lenguaje, pero antes de llegar a ella habremos realizado el intercambio tónico con el medio y con nosotros. Los mediadores de la comunicación serán por tanto también los gestos, las miradas, la voz o los objetos y, por supuesto, la manera de cogerlos sobre nosotros.

De forma intuitiva todos sabemos que los movimientos suaves y cíclicos calman al bebé. Ahora conocemos que se debe a la estimulación de esta relación tonicoafectiva, ya activa en la región insular desde que el bebé nace, y que debemos tener en cuenta para calmar el llanto del niño. Por otra parte, al acunar al bebé cuando lo tenemos en brazos, estimulamos el sistema vestibular con un efecto relajante de forma refleja sobre la musculatura lisa.

48 ¿El niño llora cuando percibe inseguridad en el adulto?

LAS SENSACIONES de inseguridad y falta de preparación para afrontar la tarea del cuidado del bebé son muy comunes y comprensibles. Todo lo referente al mundo del pequeño nos parece nuevo y a veces llegamos a percibir sensaciones de desasosiego. Los recién nacidos buscan constantemente seguridad, debido a que todas las situaciones y experiencias son nuevas y desconocidas. La búsqueda de la calma y el bienestar viene muchas veces unida a los gestos que le unen a quienes se encargan de su cuidado, como los movimientos rítmicos de succión de la boca. Por ello los bebés se calman cuando les alimentamos o, en su defecto, con el chupete o su propio dedo. Con el chupete el bebé se siente seguro y por ello calma su lloro (y no porque le entretenga o impida que abra su boca, como popularmente se piensa). Después los adultos son el principal punto de referencia para todo lo que rodea al bebé y no podemos mostrarnos inseguros ante sus demandas. Esto no quiere decir que debamos mostrar más de lo que somos o podemos, sino hacerle que se sienta protegido a nuestro lado.

Es importante que el niño nos perciba a su lado en los momentos de llanto, para acompañarle y ayudarle a solucionar su malestar; un sencillo ejemplo de ello es cuando se cae, momento en el que el niño nos localizará con su mirada en busca de apoyo y aprobación. Si ve en nosotros el miedo o una reacción diferente a la tranquilidad, romperá a llorar y será difícil calmarle, aunque la caída apenas haya sido dolorosa. Sin embargo, si le tranquilizamos con nuestra mirada, podremos después valorar la gravedad de la caída de forma objetiva.

✓ Sabías que...

Un arma muy eficaz para favorecer la seguridad de los adultos puede comenzar a través del masaje desde que son bebés. Al tratarse de una actividad guiada y secuencial, nos ayudará a ir cogiendo confianza en nosotros mismos, entendiendo las necesidades del bebé, lo que no le gusta y lo que le calma. Al principio puede presentar pequeñas dificultades, pero con un resultado muy positivo desde el punto de vista de nuestra autoestima y seguridad cuando las resolvamos con éxito.

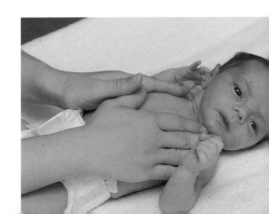

✓¿Qué podemos hacer?

El primer paso será enfrentarnos a su manejo durante las actividades cotidianas de vestirle y desvestirle, higiene y alimentación, entre otras. No debemos dejarnos llevar por su fragilidad y realizar tomas firmes (que no es lo mismo que fuertes). El tiempo nos dará la destreza suficiente en cada una de las tareas que al principio nos acarrean tantas dudas, pero el niño no debe percibir dudas si no queremos desencadenar el llanto constantemente. Esto no implicará en ningún caso que seamos temerarios: ante una duda es mejor consultar al especialista o a alguien indicado en el cuidado del bebé. El secreto es no alarmarse ni alarmar al niño con nuestro comportamiento.

Muchas veces nuestra incapacidad para calmar el llanto del bebé se debe a que no podemos establecer un vínculo correcto con él en esos momentos de dificultad. Este vínculo puede que no se desarrolle de la forma adecuada por sensaciones de inseguridad que acaban transformándose en irritación y rechazo. Aunque no hayamos sido capaces de solucionar un problema, el niño retendrá en su memoria el recuerdo de las personas que han estado con él, aumentando la confianza en quienes están a su lado. Por ello no debemos dejarnos llevar por el temor, sino aprender a mostrar un comportamiento calmado.

Durante las actividades diarias es bueno que hablemos al bebé.

Al intentar calmar al niño, a veces lo conseguimos o somos rechazados por él. Ante esta situación, no debemos dejarnos llevar por el enfado y el rechazo. Si perdemos nuestra propia calma, no podemos pedir al niño que él la recupere. Por el contrario, debemos buscar su mirada, pronunciar su nombre, hablarle de forma agradable, cogerle de las manos…, es decir, buscar el contacto de la forma que más agrade a los dos.

49 El automasaje disminuye el estrés y la tensión que nos produce el llanto prolongado

✓ Sabías que...

El masaje es una técnica natural que disminuye la tensión y el estrés, nos aporta sensaciones de bienestar y relajación, facilitándonos además el descanso. Este último punto será importante porque cuando tenemos a un bebé a nuestro cargo es habitual que reduzcamos la cantidad total de horas diarias que dormimos.

PARA PODER afrontar el llanto del bebé y ser capaces de actuar eficazmente ante él, primero debemos ser capaces de controlar nuestra propia tensión.

LAS CAUSAS

En la actualidad vivimos con un ritmo frenético de actividades durante todo el día, dentro del cual nos resulta difícil encontrar un momento de calma y bienestar. El hogar suele ser el lugar donde nos sentimos más seguros y relajados, pero el llanto del bebé puede convertirlo también en una situación estresante. Para evitar que esto ocurra y que la situación nos desborde, podemos recurrir al automasaje.

LAS CONSECUENCIAS

Canalizando nuestra irritabilidad de la forma adecuada, podremos reconducir y calmar más fácilmente al niño cuando llore. Como ya sabemos, si nosotros estamos tensos, el bebé lo percibirá y no seremos capaces de transmitirle calma.

Gracias al masaje se incrementa la calidad de las horas de sueño, induciendo a un sueño más reparador. Esta relajación se percibirá a través de la piel como primer órgano receptor, pero también tendrá efectos sobre la descontracturación de los músculos, liberando la tensión acumulada en ellos. Se producirá una dilatación de los capilares, mejorará el riego sanguíneo y linfático, y producirá un efecto analgésico general y local. Como consecuencia de estos cambios físicos, obtendremos un estado de reposo mental que se traducirá en una importante relajación psicológica, disminuyendo la ansiedad y la depresión. La modalidad del automasaje tiene la ventaja de que es una actividad que podemos realizar nosotros cuando más nos convenga.

✓¿Qué podemos hacer?

Para relajarnos ante la situación estresante del llanto, nos aplicaremos un masaje siguiendo los siguientes sencillos pasos:

1 Nos colocaremos en una posición cómoda, sobre una superficie suave y evitando posturas forzadas.
Comenzaremos semisentados para alcanzar las piernas con facilidad, masajeando suavemente los dedos de los pies con nuestras manos. Los recorreremos uno a uno y también entre ellos, para después deslizarnos sobre la

planta y el dorso del pie hasta el tobillo. Después amasaremos los músculos posteriores de ambas piernas y finalizaremos en la potente musculatura del muslo. Conseguiremos así liberar la tensión y las contracturas que frecuentemente se producen en esta musculatura.

2 En la parte superior realizaremos la misma secuencia de fuera hacia dentro. Masajearemos todos los dedos de una mano y después de la otra, y ascenderemos por la palma y el dorso de la mano. Amasaremos después los músculos del antebrazo y después el brazo por delante y por detrás. En el brazo también podemos realizar suaves percusiones o pequeños golpes sobre la musculatura. Por último, aplicaremos un masaje de rozamiento circular por los hombros, con toda la superficie de la mano.

3 Será el turno del cuello. Masajearemos el músculo trapecio, situado entre el cuello y los hombros de ambos lados. Lo amasaremos intensamente, notando cómo se va descargando. Presionaremos el tejido muscular de forma mantenida durante varios segundos entre los dedos y la palma de la mano, lo amasaremos y también percutiremos generosamente. Ambos hombros deben permanecer relajados durante la aplicación de nuestras manos. Ascenderemos hasta la región del nacimiento del pelo y masajearemos la cabeza. Con la punta de los dedos, como si nos estuviésemos lavando el pelo, aplicaremos un masaje circular por todo el cuero cabelludo.

50 Técnicas de relajación para eliminar la tensión

CUANDO LOS bebés son pequeños precisan nuestros cuidados y atención para cubrir sus necesidades de manera afectuosa. Tan sólo cuenta con unos pocos meses de experiencia vital y dispone de escasos recursos, por ello requiere que le proporcionemos mucha dedicación. Estos cuidados le brindarán seguridad y le servirán como modelo de referencia para ubicarse en el mundo.

LAS CAUSAS

Además es normal y natural en el niño que aparezca el llanto como una forma de comunicación de sus necesidades, deseos, frustraciones o malestar físico; en cualquier caso, necesita que le ayudemos a calmarse transmitiéndole seguridad y tranquilidad. En ocasiones podemos sentirnos agotados después de un cometido tan intenso y mostrarnos tensos, con lo cual no podremos ayudar al bebé a calmarse si previamente no lo estamos nosotros.

LAS CONSECUENCIAS

La relajación propicia un estado de mayor tranquilidad, bienestar y predisposición favorables, para entender y responder a un niño, cualquiera que sea su temperamento (tranquilo, inquieto…), sobre todo si su nivel de exigencia es elevado. Algunos niños necesitan más

atención que otros, sin que esto signifique nada negativo en cuanto a su desarrollo y evolución se refiere. Por ello proponemos una serie de ejercicios de respiración y relajación basados en la técnica de relax progresivo creada por Jacobson, que favorece la tranquilidad corporal y mental. Algunas personas son capaces de realizar la relajación en completo silencio. Pero también podemos acompañar este momento con una música suave que invite a la calma.

✓¿Qué podemos hacer?

Es conveniente que realicemos la relajación en un lugar confortable donde podamos permanecer tumbados unos 15 o 20 minutos. Los ejercicios de respiración se realizarán unas diez veces consecutivas y podemos iniciarlos cerrando los ojos, tomando y expulsando el aire por la nariz. En cuanto a los ejercicios de relajación, se basan en la técnica de tensión-distensión muscular.

■ Comenzaremos concentrándonos en los músculos de la cara: elevamos las cejas para arrugar la frente sintiendo cómo se concentra la tensión en determinadas zonas y distender los músculos; cerramos los ojos con fuerza e intentamos mirar hacia arriba y hacia abajo, y relajarlos abriéndolos lentamente; arrugamos la nariz notando cómo se mueve y se relaja suavemente la frente; fruncimos los labios y los desplazamos hacia fuera, como si intentáramos lanzar un beso a gran distancia, para luego llevarlos a la posición inicial.

■ Pasamos a relajar los músculos del cuello: dirigimos el cuello hacia abajo y lo llevamos en dirección opuesta para distenderlo; después giramos varias veces la cabeza hacia ambos lados.

■ Seguimos con el tronco y para ello tensamos los músculos del estómago desplazando el ombligo hacia el interior del tronco y aflojamos lentamente; subimos y bajamos los hombros tensando y relajando los músculos; apoyamos los hombros fuertemente en el suelo descargando el peso del cuerpo en ellos y volvemos a la posición inicial lentamente.

■ Mantenemos la atención en las extremidades superiores: situamos los brazos de forma paralela a nuestro cuerpo mientras abrimos y cerramos fuertemente las manos; con los brazos en la posición anterior, intentamos tocar con los dedos la muñeca y extendemos suavemente la mano notando cómo se relaja; subimos los brazos tensos y los bajamos relajados; ponemos los brazos de forma perpendicular al cuerpo, flexionando fuertemente el codo hacia el tronco y volviendo lentamente a la posición inicial, sintiendo el alivio de la distensión.

■ Finalmente, nos centramos en las extremidades inferiores: subimos y bajamos el pie, con la pierna apoyada en el suelo; subimos la pierna en tensión y la bajamos relajándola; flexionamos la pierna dirigiendo la rodilla hacia el tronco y tensando los músculos; por último, la llevamos a su posición original aflojándola.

Bibliografía

ALDECOA, J. (dir.): *La educación de nuestros hijos. De 0 a 14 años.* Editorial Temas de Hoy. Madrid, 2005.

BOSWELL, S.: *Comprendiendo a tu bebé.* Editorial Paidós. Barcelona, 2007.

BOWLBY, J.: *El apego.* Editorial Paidós. Buenos Aires, 1998.

BRAZELTON, T., Y CRANER, B.: *La relación más temprana. Padres, bebés y el drama del apego inicial.* Editorial Paidós. Barcelona, 1993.

BRAZELTON, T., Y NUGENT, K.: *Escala para la evaluación del comportamiento neonatal.* Editorial Paidós. Barcelona, 1997.

BRAZELTON, T., Y SPARROW, J.: *Cómo dominar la ira y la agresividad.* Editorial Médici. Barcelona, 2006.

BRAZELTON, T., Y SPARROW, J.: *Cómo lograr que su hijo duerma.* Editorial Médici. Barcelona, 2005.

EMANUEL, L.: *Comprendiendo a tu hijo de 3 años.* Editorial Paidós. Barcelona, 2007.

GUSTAVUS, S.: *Comprendiendo a tu hijo de 1 año.* Editorial Paidós. Barcelona, 2007.

LOBO, E.: *Educar en los tres primeros años.* Editorial Teleno. Málaga, 2002.

LÓPEZ, F.; ETXEBARRÍA, I.; FUENTES, M.ª J., Y ORTIZ, M.ª J. (coords.): *Desarrollo afectivo y social.* Editorial Pirámide. Madrid, 2001.

MILLER, L.: *Comprendiendo a tu hijo de 2 años.* Editorial Paidós. Barcelona, 2007.

PERAITA GARCERÁ, MARÍA EUGENIA: *Reeducación de la deglución atípica funcional en niños con respiración oral.* Textos 41-46. ISEP.

SANZ MENGÍBAR, JOSÉ MANUEL: *Masaje del bebé.* Editorial Libsa. Madrid, 2008.

SANZ MENGÍBAR, J. M.: *Manual del masaje paso a paso.* Editorial Libsa. Madrid, 2006.

SANZ MENGÍBAR, J. M.: *Masajes terapéuticos.* Editorial Libsa. Madrid, 2006.

SEGOVIA, MARÍA LUISA: *Interrelaciones entre la odontoestomatología y la fonoaudiología. La deglución atípica.* Editorial Panamericana. Madrid.

SOLTHER, A.: *Llantos y rabietas. Cómo afrontar el lloro persistente en bebés y niños pequeños.* Editorial Médici. Barcelona, 2002.

VOJTA, V.: *Alteraciones motoras cerebrales infantiles.* Editorial Morata. Madrid, 2005.

WOLFGANG BIGENZAHN: *Disfunciones orofaciales en la infancia.* Ars Médica, 2004.

Biografías

JOSÉ MANUAL SANZ MENGÍBAR es fisioterapeuta (Universidad Rey Juan Carlos, Madrid) y terapeuta Vojta en lactantes, niños y jóvenes con alteraciones motoras. Trabaja como especialista en fisioterapia infantil y rehabilitación neurológica, y posee una amplia experiencia laboral en varios centros de atención temprana y desarrollo infantil en la Comunidad de Madrid (España) y en Roma (Italia).

JULIA MOLINUEVO SANTOS es licenciada en Pedagogía (Universidad de Deusto), Master en Atención Temprana (Universidad Complutense de Madrid) y está cualificada para la utilización de la técnica de evaluación del comportamiento neonatal de Brazelton por el Brazelton Institute (Harvard Medical School). Ha participado en varias investigaciones y realizado diferentes publicaciones relacionadas con el ámbito de la atención temprana. En la actualidad trabaja como directora del Centro de Desarrollo Infantil y Atención Temprana ASPRODICO, donde se ofrece una atención globalizada a niños entre 0 y 6 años con alguna discapacidad o en situación de riesgo. También participa como ponente en diferentes cursos de postgrado relacionados con la prevención y la atención a la discapacidad en la primera infancia.

ELISA RUANO LÓPEZ es licenciada en Pedagogía (Universidad Complutense de Madrid) y ha realizado el Master en Intervención Temprana y Experto en Terapia Familiar Sistémica (UCM). Ha participado en diversas investigaciones en el ámbito de la atención temprana y la educación, y ha realizado diversas publicaciones sobre esos temas. También es educadora de masaje infantil y psicomotor. Ha trabajado, entre otros, en el Departamento de Orientación de un colegio de educación especial, como profesora docente en cursos de formación en educación infantil y en centros de Atención Temprana. Actualmente es coordinadora técnica del Centro de Desarrollo Infantil y Atención Temprana ASPRODICO.

INTERNET:

http://www.savethechildren.es/